新型コロナウイルスの拡大感染は日本、韓国からイタリア、フランスのヨーロッ、米国に広がり、世界中が新型コロナに感染された。政治・経済が新型コロナによって麻痺状態になってしまった。

新型コロナの緊迫したニュース、評論が多くなり、私が書くのも新型コロナ中心になっていった。「香港は民主主義運動　韓国は左翼運動」「世界経済戦争に入った　日本ＴＰＰ・米国ＦＴＡ・中国一帯一路」は少ししか書くことはできなかったので掲載するのは止めた。その代わりに新コロナ問題として「コロナウイルス対策は日本が最も優れている」を多く掲載した。

「沖縄戦になったのは日本が軍国主義国家だったから」は３回も掲載していないので今回は掲載する予定であったが、新型コロナについて書くのに時間を割かれて書き上げることができなくて掲載しなかった。早く仕上げたいものだがうまくいかない。

これからはカラーページにすると決めた。「アートハイク」を掲載するためだ。今後はどんどん「アートハイク」を発表していく予定だ。アートハイクは日本初の新しい表現方法である。

目次

議会制民主主義は歴史上最高の国家体制である

大和朝廷が天皇独裁体制であり、次に武士独裁体制が始まり江戸時代まで続いた。明治維新になると支配階級はなくなった。明治政府は藩閥政治になり、大正には選挙で選ばれた政治家による政党政治になったが、５・１５事件以後は軍部が政権を握り、日本の民主化はひっくり返され軍部支配体制になった。

敗戦した日本は議会制民主主義では一日の長がある米国の介入によって現在の議会制民主主義国家になった。日本は軍国主義が最高潮になった時に敗戦した。もし、米国の介入がなければ今の議会制民主主義国家にはならなかっただろう。

戦後は米国の監視があったから戦前のように民主主義から道を踏み外すことはなかった。議会制民主主義体制はしっかりしていった。議会制民主主義体制の日本では右翼が政権を握ることも左翼が政権を握ることもできなかった。派閥政治、左系と保守の合同などはあったが、国民に貢献しない政権は崩壊した。議会制民主主義体制の日本は国民の望む政治が優先されてきた。これこそが国民主権政治である。

議会制民主主義体制は日本の歴史では初めての体制である。過去にこれ以上の民主政治体制はなかった。

日本の議会制民主主義は歴史上最高の国家体制である

私が最初に出版した本が「沖縄に内なる民主主義はあるか」であった。私が問題にしたのは「内なる民主主義」である。というのも沖縄にしろ本土にしろ、「内なる民主主義」はあるのだろうかという疑問があったからだ。「内なる」民主主義と言っているから「内なる」に対する「外なる」民主主義はなにかということになる。外なる民主主義とは戦後の議会制民主主義体制のことである。日本の現在の国家体制をつくっているのが議会制民主主義である。日本の議会制民主主義は国民主権を実現するために20歳以上の国民が選挙で選ぶ政治家が国会で法律を制定する。政治の方向を決定するのが国会である。国会で制定した法律に則って内閣が行政を行い、裁判所は裁判を行う。いわゆる三権分立である。

日本の議会制民主主義は三権分立にとどまらない。戦後は独占禁止法によって財閥を解体した。経済は自由競争にした。大企業が結束して財閥をつくると政治介入が強くなり、政治を左右するようになる。企業の政治介入をさせないためには財閥を解体し、自由市場にして企業同士を競わせることにした。大企業が中小企業を力で抑え込むのを止めることも大事である。そのために取引を公正にした。公正か否かを監視しているのが公正取引委員会である。企業が政治に介入できないのが日本の議会制民主主義体制である。

軍隊に政治介入させないのも戦後の議会制民主主義国家体制である。自衛隊のトップには防衛大臣を置き行政の内閣が自衛隊を管理している。自衛隊は内閣の防衛大臣の政治に従わなければならない。自衛隊が政治的発言をするのは禁じられている。幹部自衛官の政治への服従、すなわち、シビリアンコントロールである。自衛隊法61条には「政治的行為の制限」規定がある。

昭和7年(1932年)5月15日、武装した海軍の青年将校らが首相官邸などを襲撃し、内閣総理大臣の犬養毅を殺害した「五・一五事件」以後政党政治は崩壊し軍部が政権を握った。軍部が政権を握ると大陸での戦争を拡大していった。米国とも戦争をやり、敗戦した。この反省から戦後はシビリアンコントロールを徹底し自衛隊の政治介入を禁じた。

国民主権・三権分立・財閥解体・自由市場・公正取引・軍隊のシビリアンコントロール・政教分離が戦後日本国家の議会制民主主義体制である。戦後の国家体制は素晴らしい。民主主義の総仕上げに等しい体制だと私は思っている。

議会制民主主義国家ではプロレタリア革命はすでに成就している

プロレタリア革命に興味がない人は多いと思うが私は学生の時、プロレタリア革命に共鳴した。

高校生の時、人間は平等で自由であるべきという考えにとても賛同していた。人民が立ち上がったフランス革命には胸が躍ったし、女性と子供も立ち上がったフランス革命の象徴である絵に感動した。

フランス革命については映画や雑誌に何回も上映、掲載されたからフランス革命が封建社会を倒して自由と平等を勝ち取ったと信じていた。しかし、自由、平等は簡単に獲得できるものではなかった。フランス革命の後フランスは混乱し、混乱を収拾したナポレオンが軍事独裁政権を樹立したのだ。民主主義国家になったのではなかった。

エイブラハム・リンカーン大統領の有名な「人民の人民による人民のための政治」は選挙によって大

統領や国会議員を選ぶことであると考えた。

人間の自由。平等の社会をつくる民主主義国家が一番いいと思っていたが、学生の時に民主主義の欠陥を学生運動をやっていた先輩から教えられた。それは資本家による労働者の搾取である。

労働者は働いて生産する。生産こそが人間の本質である。ところが資本家は工場を所有している権利を利用して生産物を労働者から取り上げ自分の利益を加えて商品として売る。つまり資本家は労働をしないで労働者の生産物に自分の取り分をくっつけて売るのである。それを利益という。資本家が労働者を搾取している根拠が利益である。人間社会は資本家階級と労働者階級に分かれていて資本家階級が労働者階級を搾取しているという考えは私にとって新鮮だった。自由で平等の社会になっても人間が人間を搾取する矛盾は解決されないことを知った。搾取する人間が居ない、労働者が自由で平等な社会があるべき社会だと考えるようになった。あるべき社会をつくるためにプロレタリア革命をしなければならない。

　身分差別をなくし平等にしたのが民主主義革命であった。しかし、革命で平等になったが資産を私有している資本家階級が資産のない労働者階級を搾取するという問題が残る。その問題を解決するのがプロレタリア革命である。プロレタリア革命は実現しなければならないと思いながら一方で疑問があった。プロレタリア革命とは暴力革命である。暴力で民主主義国家を倒して新しい国家を創立するのがプロレタリア革命であるが、アメリカは大統領も国会議員も国民の選挙で選ぶ。国民が選んだ大統領を暴力で倒していいのだろうか。国民が選んだ大統領を倒したら国民を裏切ることになるのではないか。そんなことを自問自答するようになった。

私は労働者階級を拡大解釈した。労働者には妻や子がいる。彼らも労働者階級に属すると解釈した。すると国民のほとんどは労働者階級に属するということになり、労働者階級=国民というのが私の考えになった。つまり国民が選ぶということは労働者階級が選ぶということである。そんな議会制民主主義国家でどのようにすればプロレタリア革命を実現できるのか・・・・・。

夜。図書館前に先輩と私の二人で立て看板を作っている時、私は先輩に聞いた。

「アメリカでも暴力革命をするのか」

すると先輩は、

「当たり前だ。革命とは国家体制を倒して新しい国家体制をつくることだ」

と断言した。

「でも、大統領も議員も国民選挙で選ばれているし、国民の代表でつくる国家を暴力で倒すというのは・・・・」

「又吉。クーデターと革命は根本的に違う。クーデターは体制を維持したままトップを暴力で代えるが革命は違う。国家体制を根本的に変えることだ。アメリカはブルジョア階級が支配する国家体制だ。それをプロレタリア階級の独裁国家にするのが革命だ。だから大統領制度や議会制度そのものを倒すのがプロレタリア革命だ。又吉。まだまだ勉強が足りないぞ」

私の疑問は先輩に一蹴された。しかし、私は納得できなかった。私の疑問に関して書いてある書物を見つけることはできなかったし、答えてくれる人もいなかった。19歳の時である。50年以上過ぎた今はあの頃の私の疑問に答えることができる。

日本と米国では絶対にプロレタリア革命は起こらない。理由は日本と米国ではプロレタリア革命はすでに実現しているからである。19歳の私が労働者階級は労働者の家族を含むから国民のほとんどが労働者階級であると思ったのは正しい。だから、国民の選挙で国の政治を行う政治家を選ぶのは国民主権の実現であり、選挙制度はプロレタリア階級が国の主権を握るということだ。

ロシア革命を起こしたレーニンは、資本主義社会では資本家階級が政治介入し、国家は資本家階級のための存在となる。資本家階級と一体となった国家は帝国主義国家となり植民地を求めて外国に進出していくという理論をつくったがそれは間違っていた。。レーニンの理論を今も信じているのが日本共産党である。日本共産党は今も米国を資本家階級が支配する帝国主義国家と決めつけている。

レーニンの理論には決定的な間違いがある。米国は資本家が国家を支配していない。資本家が政治介入できないのが米国であり日本である。

ドナルド・ジョン・トランプ大統領は、みずから設立したカジノ、ホテル運営会社トランプ・エンターテイメント・リゾーツを経営する実業家である。しかし、大統領になった時に経営から離れなければならない。大統領と会社経営を兼任することを許さないのが米国である。大統領だけでなく、全ての議員は議員である間は会社経営から離れなければならない。これが議会制民主主義国家のルールである。レーニンの理論は帝国主義国家であった戦前の日本には当てはまるが米国や戦後の日本には当てはまらならない。資本主義社会であっても日本と米国は資本家階級が国家に介入することはできない。レーニンのいう帝国主義国家ではないのが日本であり米国である。むしろ、労働者階級が国家をつかさどる政治家を選ぶのが日本、米国である。日本、米国ではプロレタリア革命はすでに終わっているのである。

会社を私有している権利を利用して商品に利益を付け加えて自分の収入とするのが資本家階級であるが、現代で会社を私有して労働しないで収入があるのは株主である。社長ではない。現代の大、中企業のほとんどは株式会社である。ということは株主が会社の所有者であり資本家階級なのである。経営者を資本家と考えるのは間違いである。経営者も労働をしているのだ。株主は経営者に利益を上げるように圧力をかけることはできるが国の政治に介入はしないしできない。

戦後日本の国民主権の議会制民主主義体制は労働者階級にとって素晴らしい体制である。しかし、この素晴らしい体制を理解し発展させようとする内なる民主主義者は圧倒的に少ない。それが日本の残念な現実である。

安倍政権ではなく議会制民主主義に敗北していくのが左翼の運命である

安倍首相は2月27日に新型コロナウイルスの感染拡大を防ぐため全国の小中学校、高校、特別支援学校を3月2日から春休みまで臨時休校とするよう、要請した。「要請」という言葉に違和感があった。なぜ「決定」ではなくて「要請」なのだ。「要請」と言っているが実質的には「決定」ではないのかという疑問があったからだ。しかし、私が間違っていた。小中高校などの休校について政府は決定する権限はない。権限は地方自治体にある。政府は「要請」する権利しかないのである。そのことを知ったのが沖縄県の授業再開であった。

政府の要請に従って沖縄県小中高校は一斉に休校に入った。しかし、浦添市は県内には新たなコロナウイルス感染者が居ないことを理由に11日から小中校を再開したのである。もし政府の要請が実質的には決定であったなら地方自治体である浦添市が再開することはできない。政府に再開を陳情して、政府の許可をもらえて初めて再開できる。しかし、浦添市は政府に陳情することはなく単独で再開を決めたのである。浦添市だけでなく他の市町村も再開を決めていった。小中校の休校、再開の権限は市町村長にあるのだ。政府にはない。だから政府は要請をしたのである。日本は地方自治権が強いことを知ったのが沖縄県の小中校の再開であった。高校の休校・再開の権限は県にある。沖縄県教育委員会は臨時休校していた県立高校や特別支援学校などを、16日に再開した。

小中高校を管理する権限は地方自治体にあり政府にはない。日本は地方自治権が強い。それは辺野古移設や石垣市の自衛隊基地建設にも言えることである。政府が一方的に普天間飛行場を辺野古に移設することや石垣市に自衛隊基地を建設することはできない。地元自治体の了承が必要なのだ。辺野古飛行場の場合は陸上は名護市長、辺野古の海の埋立ては県知事が了承したから移設工事は始まったのである。石垣市の場合は自衛隊基地建設を石垣市議会が賛成多数で決め、市長も賛成だから建設ができるのである。地元の市長、市議会が反対すれば実現できない。日本の議会制民主主義体制は地方自治権が認められている。

２０２０年3月１３日には新型コロナウイルス対策の特別措置法が可決・成立した。特別措置法は新型コロナウイルスのさらなる感染拡大に備え、総理大臣が「緊急事態宣言」を行い、都道府県知事が外出の自粛や学校の休校などの要請や指示を行うことを可能にする。しかし、「緊急事態宣言」は、

▽緊急事態宣言にあたっては、緊急でやむをえない場合を除き国会に事前に報告すること。

▽その後の状況を適時、報告する。

の付帯決議も付け加えられた。

総理大臣が「緊急事態宣言」を行っても政府が直接、外出の自粛や学校の休校などを直接指示するのではなく、政府は都道府県知事に要請し、知事が市民に指示するのである。政府は要請はできるが命令はできない。日本は地方自治を徹底して尊重する国である。注目すべきは地方は首長も議会も住民の選挙で選ばれることである。だから、地方の政治は住民の生活を優先する政治をするのだ。

新型コロナウイルス感染者の多い北海道の鈴木直道知事は2月２8日に政府の要請に先駆けて独自に3月１９日までを緊急事態宣言期間とし、週末の外出自粛要請や一斉休校などの対策を実施した。知事が北海道民の新型コロナ感染拡大を押さえようとしたからである。また、３月１８日には「緊急事態宣言」を１９日で終了すると発表した。そして、宣言以前に比べて検査体制や病床が充実し、「新型コロナウイルスと闘う態勢が整った」と鈴木知事は強調。その上で「経済活動への影響を最小限にする必要がある」と述べ、早急に対応を検討する考えを示した。

大阪府は１９日に緊急事態宣言を終了し、(１)定期的な換気（２）来場者が１~２メートル程度の距離を取れる会場の広さ（３）近距離での会話や発声を避けることの3条件をクリアすればイベントや部活動などを再開するとした。このように地方自治体の独自の判断で行動することができるのが日本である。知事だけではない。市町村長も自分の判断で行動することができる。沖縄県で政府が休校要請したにも関わらず、ウイルス感染者が居ないことを理由に市町村長の判断で再開させることができた。

群馬県大泉町の村山俊明町長は１５日、新型コロ

ナウイルス感染者の情報提供について「県は遅すぎる。1分でも早く対策を取らないといけない市町村の立場を理解せず、町と町民を軽視したのではないか」と述べ、山本一太群馬県知事の対応を強く批判した。中国なら知事を批判した村山町長は知事に処分されている。官僚主義の中国では上の判断が絶対であり下が批判することは許されない。

戦後の日本は国民主権の議会制民主主義国家になった。議会制民主主義が75年間も続くうちに地方自治能力は大きく進歩したのが日本である。

左翼は「沖縄のことは沖縄が決める」を主張しているが、小中高の休校と再開を見ればその通りであることが分かる。ところが左翼は安倍政権を独裁呼ばわりして沖縄に辺野古移設を強制していると非難する。確かに辺野古移設反対のデニー氏が知事になり、辺野古埋め立て賛否の県民投票では7割が反対票だった。そのことを根拠に安倍政権は沖縄の民意を無視していると非難するのが左翼である。

議会制民主主義はもう一つ欠かすことができないものがある。法治主義である。政府と地方自治体が合意したことを一方的に破棄することはできない。ところが左翼は辺野古移設を名護市長、県知事が政府と合意したことを無視しているのである。そんなことは議会制民主主義では通用しない。

石垣市議会は陸上自衛隊の駐屯地予定地となっている大浜地区の市有地売却を賛成多数で可決した。中山石垣市長は政府と自衛隊基地建設と土地売却の合意をする。しかし、左翼の主張通りなら建設が終了しない時に左翼が市長になり、議会が過半数になって自衛隊基地建設反対の議決をすれば建設はストップしなければならないということになる。そんなことが許されるはずがない。政府と市長が合意が最終決定である。辺野古移設問題で左翼は議会制民主主義で最も重要である法治主義を否定しているのである。選挙や県民投票で勝利した辺野古移設反対派は安倍政権の独裁に敗北しているのではない。議会制民主主義の法治主義に敗北しているのである。

石垣市では住民投票を否決した市を自衛隊基地建設反対派が基本条例違反だと提訴したか、100%敗北する。議会制民主主義の法律を市は順守しているからだ。安倍政権ではなく議会制民主主義に敗北していくのが左翼の運命である。

議会制民主主義が左翼の野望を打ち砕いていることを知ってほしい

辺野古移設反対派の新報社説は民主主義、人権を主張し安倍政権を独裁だと批判する。新報社説が批判しているのは安倍政権であるように見えるが本当はそうではない。新報社説は安倍政権ではなく議会制民主主義を批判しているのだ。

辺野古埋め立てに反対している新報社説は「司法が国の方針に一方的に追従するばかりでは国民の権利は守られない」と述べ、日本では国民の権利が守られていないと主張している。新報社説は「三権分立が機能不全を起こしている」と主張し、今の日本は独裁国家への道を開いていると述べている。

新報社説が三権分立の機能不全を根拠にしているのが辺野古埋め立て承認を撤回した県が最高裁で敗訴に終わる見通しになったことである。

県は辺野古埋め立て承認を撤回した。県の撤回を国土交通相は取り消した。取り消したことに対して県は違法であると提訴した。そして、地裁、高裁で敗訴した。最高裁に上告したが、最高裁第1小法廷は、結論を変更する際に必要な弁論を開かないまま、26日に上告審判決を言い渡すことを決めた。ということは県を敗訴にした福岡高裁那覇支部の判決が確定したことになり県の敗訴が決定することになる。そのことを新報社説は「司法が国の方針に一方的に追従するばかりでは国民の権利は守られない」と主張し、三権分立が機能不全に陥ったというのである。そして、日本は独裁国家への道を開くという。でもそれは新報社説が最高裁判決を容認しないからであって、最高裁の判決を認める側にとっては三権分立は機能しているし日本が独裁国家に向かうこともないと考える。新報社説は期待通りにならなかったから判決を否定し、三権分立は機能していないと決めつけ、日本の三権分立を否定するのである。三権分立の否定は今の日本の国民主権、法治主義の議会制民主主義を否定することになる。

国会議員は国民の普通選挙によって選ばれる。日本の民主主義・国民主権を実現しているのが普通選挙である。選挙が実施されている日本が独裁政治になることはない。ところが新報社説は三権分立の機能が不全に陥ったと決めつけ、三権分立の機能不全を根拠に日本は独裁政治になるというのである。日本は国民の投票によって国会議員の勢力が決まる。過半数を取った政党が総理大臣を選出して内閣がつくられ行政を行う。これが日本の民主主義である。

安倍首相の時に、２０１３年参議院選挙、２０１４年衆議院選挙、２０１６年参議院選挙、２０１７年衆議院選挙、２０１９年参議院選挙が行われた。選挙で過半数の議席を自民党が確保したから安倍政権は続いている。選挙で自民党が過半数を確保しなければ安倍政権は終わっていた。安倍政権が存続するかしないかは国民の支持次第である。そんな安倍政権が独裁になるはずがない。そもそも議会制民主主義国家では独裁になれない。

新報社説は国民の選挙を土台にして行政が行われている現実を無視しているのである。

新報社説は「新年を迎えて　民主主義が機能する国に」で
「衆院で政権党が絶対安定多数を占める国会は政府の追認機関と化した感がある。チェック機能が十分に働いていない。裁判官は良心に従い職権を行使する独立した存在だが、国におもねるような司法判断が目立つ。三権分立は半ば機能不全に陥っている」

と述べている。議会制民主主義を侮蔑し捻じ曲げた屁理屈である。

新報社説は「衆院で政権党が絶対安定多数を占める国会は政府の追認機関と化した感がある」と述べているが、国会の過半数を制した政党が政権党になるのだから国会と政府の基本政策は同じである。首相はじめ大臣は与党の幹部であるから、政府と与党は協議を重ねて法律を制定し、国政を行っていく関係にある。国会は追認機関ではなく協力機関である。まるで国会が政府の下にあるように言うのは間違っている。

政治姿勢が共通する政治家が集まって政党をつくる。選挙の時は政党は政策を統一する。国民は政策を考慮して投票する。そして、国民の支持が一番多い政党が政府をつくる。政府と国会与党は政治理念が同じだから協力関係にある。新報社説は政府と国会との関係を正確に理解していない。だから、政府と国会の関係を政府に追随する国会などというのである。

国会を政府のチェック機関と見ている新報社説には呆れてしまう。衆院で政権党が絶対安定多数を占める国会は政府の追認機関と化していて、「チェック機能が十分に働いていないと新報社説はいうのである。国会は立法機関である。チェック機関ではない。政策論争を中心にやるべきであってチェックは二の次だ。ところが政策の実力では自民党と雲泥の差がある野党は政策論争を避けて「桜を見る会」や「森友学園」での安倍政権の不正チェックに固執している。国会にとって一番重要な予算案についての与党との論争は疎かにし、深刻な新型コロナウイルス問題を克服するための政策案は一つも出さないで安倍政権のやり方にケチ付けするだけである。国の政治経済の方向性を追求し、新たな政策を作り出す責任が全ての政党にある。国民が歓迎する政策を打ち出せば国民の支持を得る。旧民主党は国民の支持を得た。だから与党になって政権を握った。しかし、民主党政権は政策で国民の期待を裏切った。だから、選挙で敗北して政権党ではなくなった。

安倍政権は国民の期待を裏切っていない。国民が望む政治をやった。だから、自民党は国会の過半数を維持し、安倍政権は続いている。日本は議会制民主主義国家だ。独裁政治には絶対にならない。

新報社説は国会は政府に追随しているというが国会の中でも野党政党は反対ばっかりやっている。全然追従していない。過半数に満たないから野党の反対が政策に反映されないのだ。与党と野党の違いは国民に支持されているか否かである。立憲民主党が国民の支持を得て国会の過半数を獲得して与党になったら、立憲民主党政権になる。国会は新報社説流にいえば立憲政権に追随する国会になる。

国会で法律を制定し、法律に則って政府が政治を行う。政治を行う内閣は国会与党のリーダーだから法律の提案を国会にするのが多い。そのことを新報社説は国会が政府に追随していると見えるのである。追従していない。

新報社説は国会だけでなく司法も政府に追従していると主張している。

国土交通相が県による埋め立て承認撤回を取り消したことを県は違法であると提訴した。最高裁第1小法廷は県敗訴と決めた。このことを新報社説は司法が政府に追従していると主張するのである。

辺野古移設撤回を県がやったことに対して防衛局が撤回の無効を国土交通省に訴えたら国土交通省は

防衛局の主張を認め、県の移設撤回を取り消した。国土交通省の決定は違法であると県は那覇地裁に提訴したが、地裁・高裁で敗訴した。県は最高裁に上告した。すると最高裁第1小法廷裁は結論を変更する際に必要な弁論を開かないまま、26日に上告審判決を言い渡すことを決めた。ということは県の敗訴が決定的である。このことを根拠に新報社説は司法が政府に追従しているというのである。

新報社説は司法が政府に追従していることを、最高裁第1小法廷が関与取り消しをする経過を説明する。ただ、新報社説は辺野古移設が2010年の民主党政権の時に政府と県の合意によって決定したことを隠している。辺野古移設は政治的には2010年に決着している。

政治的には決着したが、地方自治体の法的な権利として辺野古の埋立てが無理であるということが判明すれば県が辺野古埋め立てを中止させることができる。それが承認取消しと承認撤回の権利である。翁長前知事は埋め立ては辺野古の海を汚染するという理由で仲井真知事が承認した埋め立て承認を取り消した。県が埋め立て承認を取り消したので国は埋め立て工事をストップしなければならなかった。国は県を提訴して最高裁は県の取り消しは違法であると判決を下した。

判決の骨子

◆普天間飛行場の被害を除去するには（辺野古の）埋め立てを行うしかない。それにより県全体として基地負担が軽減される。

◆埋め立て事業の必要性は極めて高く、それにともなう環境悪化などの不利益を考慮しても、前知事が埋め立てを承認したことは不合理とは言えない。

◆埋め立て承認に裁量権の逸脱・乱用はなく、違法とは言えないので、現知事の取り消し処分は違法だ。

◆知事は、国の是正指示が出て相当期間が経過しているのに従っておらず、これは不作為で違法に当たる。

工事は県の取り消しは違法行為であるとの判決によって翁長前知事は取消を撤回し工事は再開した。このように県には埋め立て承認を取り消す権利がある。しかし、正当な理由もなく取消をすれば裁判によって取り消しが違法であると判決が下る。

承認取消で敗北した県は次に埋立て撤回をした。県の撤回で埋め立て工事は中止した。撤回の根拠にしたのが埋め立て予定海域に軟弱地盤が見つかったことなどである。県の撤回に対して沖縄防衛局は行政不服審査法に基づく審査請求を国土交通省に申し立てた。石井啓一国土交通大臣は、県が指摘した軟弱地盤の存在について所用の安定性を確保して工事が可能である。サンゴ類の保全についても環境監視等委員会の指導助言を受けて配慮されていると指摘し、県の承認撤回は違法であると判断した。国土交通省は県の撤回処分を不服とした沖縄防衛局が求めた審査請求を受け入れ、撤回を取り消す裁決をした。

撤回を取り消された県は、防衛局の審査請求は行政不服審査制度の乱用で、同じ国側の国交相による裁決は違法だと総務省の第三者機関「国地方係争処理委員会」に審査を申し出たが、却下された。却下された県は１９年７月に那覇地裁に提訴した。地裁と高裁は県の訴えを退けた。

新報社説は、最高裁が県の訴えを退けたことを国家権力の乱用にお墨付きを与えるに等しいと批判するのである。

まず指摘しなければならないのは、「国民の権利利益の救済を図る」ことを目的とする行政不服審査法を国の機関である沖縄防衛局が利用したことだ。私人へのなりすましにほかならない。

公有水面埋立法は私人が埋め立てをする際は知事の「免許」を、国が埋め立てをする際は知事の「承認」を得なければならないと定める。私人は埋め立てた後に知事の認可を得て所有権が発生するが、国は埋め立てたことを通知するだけで所有権が得られる。一般私人では立ち得ない「固有の資格」を有する沖縄防衛局が、行政不服審査制度を利用することは、本来できないはずだ。しかも、埋め立て承認撤回の効力を停止させたのは、内閣の一員である国土交通相である。結論ありきの「出来レース」でしかない。こうした事実を過小評価する司法の判断は、今や立法、行政、司法の三権が相互に抑制する仕組みが崩れ、行政権だけが突出するいびつな社会になりつつあるのではないか。

新報社説

新報社説の主張は県や共産党の主張と同じである。防衛局や国土交通省の主張を否定している。裁判は原告と被告の主張を聞き、法律に則って判決を下す。

玉城知事は軟弱地盤が広範に分布していて地盤改

良で対応したとしても工事は大幅に遅れ、普天間基地の1日も早い危険性除去のための解決策にならない。このほかにも多くの問題があり、埋め立て承認の要件を満たさなくなっているのは明らかだ」と撤回の正当性を訴えた。これに対し国は、「過去の最高裁判所の判決を見れば、行政権の主体という立場での訴えは裁判の対象とならない」などと主張し、訴えを退けるよう求めた。

原告の主張が認められれば被告は司法は原告に味方していると思い、逆であれば司法は被告に味方していると原告は思うだろう。裁判とはそんなものである。新報社説は敗訴した県に味方しているから司法は政権に味方していると思うのである。県と同じく埋め立てを阻止したい新報社説であるから軟弱地盤を理由に承認撤回ができると思い込んでしまっている。承認撤回できるのは100%辺野古飛行場建設ができないのに国が埋め立てを強行している時だけである。軟弱地盤だから建設できないとは承認撤回をした県でさえ思っていない。建設期間と予算が二倍以上になるとしか言っていない。建設はできるのだから承認撤回はできない。県は証人撤回はできないのに撤回したのである。権利の乱用である。翁長前知事の承認取り消しと同じである。

埋め立て承認を最終的に決めることができるのは県ではない。国土交通省である。県が違法に承認撤回をするなら防衛局が本来の管轄権のある国土交通省に判断を仰ぐのは当然の行為である。新報社説は屁理屈で沖縄防衛局が、行政不服審査制度を利用することは本来できないはずだと主張しているが利用できるから利用したのだ。利用できないのに利用したら違法行為である。違法行為であるなら県は提訴すればいい。県が提訴しなかったのは違法行為ではなかったからだ。

「埋め立て承認撤回の効力を停止させたのは、内閣の一員である国土交通相である。結論ありきの『出来レース』でしかない」には苦笑してしまう。国土交通省と防衛省は管轄が違う。埋め立てに関しては公有水面埋め立て法に則って管轄しているのが国交省である。省はお互いに独立していて、管轄分野が違う。埋め立てに関して防衛局が国土交通省に判断を仰ぐのは当然のことである。日本は法治国家である。内閣は法律に則って行動する。防衛局も国土交通省も管轄に関する法律に則って行動しているだけだ。

新報社説が「行政権だけが突出するいびつな社会になりつつあるのではないか」と思うのは三権分立を尊重するよりも辺野古埋め立てを阻止することに固執しているからである。２０１０年に辺野古移設は政治決着をした。埋め立てを阻止すれば辺野古移設を断念させることができるが、議会制民主主義の日本で阻止するには国会の過半数を移設反対派の左翼政党が確保しなければならない。それは不可能である。議会制民主主義を破壊して阻止するには辺野古に１０００人以上の反対派を結集させて実力で埋め立て工事を阻止することである。埋め立て工事を始める前は反対派が１０００人結集を呼び掛けていたが実現しなかった。実力で阻止できないことは明らかである。

追い詰められた左翼は承認撤回という司法を利用して阻止しようとしているがそれは不可能である。政治決着したことを司法で阻止することはできない。司法は違法行為を阻止するものであって政治の合法行為を阻止するものではない。

辺野古移設反対派の左翼は安倍政権を敵視し、安倍政権と闘っているように見えるが、本当は議会制民主主義を敵にして闘っているのである。安倍政権は辺野古移設が決まったから合法行為によって移設工事を進めているだけである。

法的拘束力のない県民投票で埋め立て反対が７割を超えても、県知事、県議会が埋め立てに反対しても司法判断を左右させることはできない。司法闘争で辺野古飛行場建設を阻止することはできない。工事を遅らせることができるだけである。

辺野古埋め立て反対の法廷闘争で成果があるのは選挙である。左翼は辺野古飛行場建設反対運動を司法の場、辺野古現場などあらゆる場所で展開して、衆議員選挙、知事、県議会選挙で勝利した。県政は左翼の支配下にある。辺野古問題を巧みに利用した左翼の成果である。でも県政を支配下に置いても辺野古飛行場建設を阻止することはできない。地方自治体でしかない県の知事、議会に辺野古飛行場建設を阻止する法的権利はないからだ。辺野古飛行場建設を阻止するには唯一国会で過半数を確保して辺野古予算をゼロにすることである。

国会で過半数を確保できない左翼に辺野古飛行場

建設を阻止することはできない。

民主党は立憲民主党と国民民主党に分裂し、連合を組む計画はご破算になり、共産党を加えた三党の連合は不可能な状態だ。左翼が国会を制するのは不可能である。つまり辺野古飛行場建設を阻止するのは不可能である。


議会制民主主義は選挙で敗北すれば政治で敗北する運命にある。辺野古移設賛成の自民党が国会の過半数を占めている間は辺野古移設反対派が移設を阻止することはできない。

裁判を利用して辺野古移設を阻止することはできない。県は承認撤回をして埋め立て工事を阻止しようとしているが、県の承認撤回は違法であり、裁判で裁かれるのは県である。司法は権利の乱用を認めない。県知事は議会制民主主義で定めた選挙で選ばれる。法律を厳守する立場にあるのが県知事である。しかし、沖縄では法を厳守するべき県知事が違法行為をするのである。翁長前知事は承認取消をした。最高裁は承認取り消しは違法行為であると判決した。承認撤回も最高裁は違法行為であると判決を下すだろう。沖縄では二人の知事が違法行為をしたのである。知事が違法行為するのが沖縄である。違法行為をしても知事の座に居座れるのが沖縄である。沖縄では県のトップが法治主義を破壊している。

承認取消、承認撤回を県知事にやらせたのが沖縄左翼である。沖縄左翼の中心は共産党、社民党、社大党に自治労、沖教祖である。そして、新報社説に見られるように沖縄二紙も左系である。翁長前知事もデニー知事も左翼のお陰で知事になった。だから、左翼の言いなりである。承認取消、承認撤回は左翼が主張してきたことであり、左翼の主張を実行したのが前翁長知事とデニー知事である。

左翼が仕掛けた承認取消、承認撤回の闘いは司法によって違法行為であると一蹴された。


左翼は国会で過半数を確保できないし、司法闘争では敗北するだけである。日本の議会制民主主義体制は左翼が崩すことができない強固なものであることを実感する日々である。共産党や旧社会党の左翼政治家が存在するために二大政党になるのは困難であるが。左翼の野望を議会制民主主義体制が跳ね除けている。

新型コロナウイルス対策は世界で日本が最も優れている

私は新型コロナウイルス感染について興味はあったが自分の意見をブログで書かないようにしていた。感染症は病気であり、政治・経済とは別次元の問題である。政治・経済以外の問題には例え関心があったとしても書かないように心掛けている。

私が新型コロナについて最初に書いたのは3月15日である。書いたのは報道に対する批判であった。報道のやり方がひどい。感染死者は日本が韓国より6分の1も少ないのにマスメディアは検査数の大きい韓国を誉めるのである。死者数の少ないことを無視するのである。そのことに反論したのが始まりだ。

クラスター対策班の存在を知り、押谷教授を知り、クラスター潰しを知った。すごいと思った。日本の新コロナ感染者が少ない理由も分かった。

新コロナ感染を押さえつつ、経済も維持するという押谷教授の考えに共鳴したし、ぎりぎりの対策を進めているクラスター対策班に感謝した。ところが日本のマスメディアはクラスター潰しが世界で一番優れている新コロナ対策であることを国民にも世界にも伝えなかった。最低である。新型コロナとの闘いは治療薬ができるまで続く。それまで経済を維持する新コロナ感染封鎖を維持してほしいものである。

２０２０年０３月１５日

新型コロナ感染で韓国を誉め日本を批判するのは間違っている

新型コロナウイルス対策で韓国は約２５万人が検査を受けたのに日本はわずか１万人しか受けていないのを理由に韓国の対策の方がすぐれていると韓国を誉め日本を批判する専門家やマスメディアが国内でも国外でも多い。韓国の新型コロナ感染者は８０８６人であるが日本が７３４人であるのは検査数が少ないからだと批判する。韓国のように検査すれば韓国と同じ感染者がいるはずなのに日本は検査を少なくして感染者が少ないように見せているというのである。

専門家は「適切な検査ができなければ、対処能力が著しく制限される」と指摘して、渡航制限や休校といった対策をどの程度実施するかは「ウイルスがどの程度、どこにあるかが分かるかどうかによる」とし、日本の検査数が少ないことを批判する。

感染者の数は韓国のように検査をすれば増えるかもしれない。しかし、検査数が少ないからといって死者の数が少ないということはない。感染が原因の死者の数は検査は少なくても正確な数である。

日本の死者はクルーズ船の死者を入れなければ２１人である。韓国の死者は７２人である。日本は韓国の３分の１の死者である。人口は日本１億２千万人で韓国５千万人であり日本が二倍以上の人口である。人口比でみると日本は韓国の６分の１の死者である。この数字は韓国より日本の方が新型コロナ対策に成功しているということである。

日本は中国観光客が非常に多かった。韓国のように新型コロナ感染者が増えて死者数も韓国と同じになる可能性は高かった。しかし、死者数は比率で６分の１である。圧倒的に少ない。圧倒的に少ないのには理由がある。日本は検査よりも感染拡大を防ぐのを優先したからである。だから感染者は少なく死者も少ないのである。

「適切な検査ができなければ、対処能力が著しく制限される」と指摘するが、日本政府は感染者が見つかった場合は徹底して感染経路を追及し、感染原因を公表して感染を避ける方法を国民に伝えた。

「渡航制限や休校といった対策をどの程度実施する

かは『ウイルスがどの程度、どこにあるかが分かるかどうかによる』と、検査の重要性を強調するが、安倍首相が小中高の休校を要請したのは子供たちの感染防御を最優先したからである。ここにも検査よりも感染拡大を防ぐのを優先する日本政府の方針が如実に表れている。日本政府は発熱した人は外出しないように指導したし、密集した空間をつくらないように指導した。これも感染が拡大しないのを優先した政策である。

政府が最初に優先すべきことは検査ではなく感染拡大を防ぐことである。感染拡大を防ぐのを優先させた日本と検査を優先させた韓国との差が死者数の差として現れたのである。

2020年03月16日

イタリアの感染拡大を助長した愚かな日本医療ガバナンス研究所理事長上昌広

イタリアが新型コロナウイルス感染が急増したのには驚いた。異常な増え方である。イタリアは中国の一帯一路に加入し、30万人以上の中国人が移住していてイタリアで工場や店を運営している。観光客も600万人に達している。だから、新型コロナ感染者が出てくるのは当然であると思っていたがそれにしても増え方が異常である。

ニュースではイタリアの致死率が突出して高いことを問題にし、イタリアの緊縮財政のあおりを受けて医療体制が不備であることを指摘している。そして、医療体制の不備が感染拡大にも拍車を掛けたと指摘している。しかし、医療体制の不備は死者率を高める理由にはなるが感染拡大の理由になるはずがない。検査をして感染者だと分かれば隔離される。感染が判明した感染者から新たな感染者が出ることはない。だから医療不備が感染拡大の理由にはならない。

なぜ、イタリアで感染者が急増したのか。中国人が増えただけでなく別の原因があるのではないかと思っている時にブログ「老魔人日記」に「新型肺炎174人の集団感染『クルーズ船3700人隔離は正しかったのか』　医師の見解は？」という評論が紹介されていた。

書いたのは上昌広という医療ガバナンス研究所理事長であった。上氏はクルーズ船ダイヤモンド・プリンセス号で船客をクルーズ船に閉じ込めたことを東日本大震災以降、福島県浜通りで診療を続け、地元住民の定期的な健康診断をサポートしている専門医としての立場から徹底して批判している。説得力のある批判であったが、上氏が日本とイタリアの対応の違いを述べた時にイタリアで感染者が急増した理由の一つが分かった。

上昌広氏の文章。

今回の新型コロナウイルスの流行においては、地中海のクルーズ船「コスタ・スメラルダ」（総トン数18万5，010トン）で、乗客に発症が確認され6，000人強の乗客乗員が一時足止めされるという事件が発生している。

イタリア政府の対応は日本とは全く違った。2名の感染者について処置をした後、12時間で乗客は解放された。

なぜ、イタリアと日本はこんなに違うのだろう。私は経験の差だと思う。

検疫を意味するquarantineは、イタリア語のヴェネツィア方言quarantena および quaranta giorni（40日間の意）を語源とする。

1347年の黒死病（ペスト）大流行以来、疫病がオリエントから来た船より広がることに気づいたヴェネツィア共和国が、船内に感染者がいないことを確認するため、疫病の潜伏期間に等しい40日間、疑わしい船をヴェネツィアやラグーサ港外に強制的に停泊させたことに始まるらしい。

クルーズ船は、英船舶会社P&0が1844年にサウサンプトン発着の地中海クルーズを開始したのに始まる。大手海運会社の閑散期の経営対策として、19世紀から20世紀にかけて発達した。

アガサ・クリスティーの『海上の悲劇』は地中海クルーズ船を舞台とし、名探偵ポワロが殺人事件を解決する。

かくの如く、クルーズ船は西欧で発達した文化だ。これまでにも麻疹、レジオネラ菌、赤痢、髄膜炎菌、さらにノロウイルスなどの集団感染を繰り返し経験し、試行錯誤を繰り返してきた。特にイタリアからは複数の医学論文が発表されている。経験の蓄積において日本とは彼我の差がある。

「新型肺炎１７４人の集団感染『クルーズ船３７００人隔離は正しかったのか」医師の見解は？」

「経験に乏しい日本は、従来と同じ方法で検疫を強行してしまった。その結果が、歴史に残る集団船内感染だ。一方、イタリアは柔軟に対応し、旅行客の健康を守った。２月１２日現在、イタリアでの新型コロナウイルスの流行は確認されていない」と述べた上昌広氏はクルーズ船に閉じ込めた日本政府を批判し、１２時間後に乗客全員を下船させたイタリア政府を称賛しているのである。

上昌広氏の「新型肺炎１７４人の・・・・」を読んでイタリアでコロナウイルスの感染が急激に広まった原因を知った。イタリア政府はクルーズ船の潜在感染者を下船させて国内に放ったのである。上氏は「イタリアでの新型コロナウイルスの流行は確認されていない」と述べているが実はこの時には急激な感染拡大が迫っていたのだ。上氏が称賛したクルーズ船の早めの乗客解放は感染拡大を助長するものであったのだ。クルーズ船の乗客は２週間以上隔離しなければならなかった。隔離を自衛隊基地などの国内にするかクルーズ船内にするかの問題であってイタリアのように１２時間で下船させるのは絶対にやるべきではなかった。しかし、上氏は船内隔離より下船を主張したのである。

クルーズ船内で検疫をやった人たちが感染したのには驚いた。彼らは感染しないための完全な防御をしていたはずである。それでも感染したのが新型コロナウイルスである。それほどまでに新型コロナウイルスの感染力はすごい。そのことを上氏は知っていた。知っていたにも関わらずイタリアの１２時間開放を称賛したのである。彼の考えが日本で実行されていたら、日本の新型コロナウイルス感染者は何十倍も増えていたはずである。

中国移民、旅行者が多くなったこと、潜在感染者を放置したこと、そして、医療体制の不備が重なってイタリアで新型コロナ感染が増大したのだ。

2020年03月17日

「武漢発『ウイルスとの戦争』、勝者は中国という皮肉」を批判する

JBpress(日本ビジネスプレス)に「武漢発『ウイルスとの戦争』、勝者は中国という皮肉」という評論が載った。書いたのは近藤大介氏である。

近藤大介氏は1965年生まれの55歳である。1996年に北京大学留学。2008年から明治大学国際日本学部講師として、東アジア論の授業を受け持っている。2017年から「週刊現代」特別編集委員に昇進し、中国を中心とした東アジア問題の取材・研究を継続している。

近藤氏は「武漢発『ウイルスとの戦争』、勝者は中国という皮肉」で世界ナンバー1のアメリカとナンバー2の中国がガチンコ勝負をすれば、アメリカが勝つが、逆に今回の「コロナ・ショック」のような危機が起こると、中国の方がアメリカよりも、ある意味「強い」と指摘している。

「強い」理由は第一に、中国はアメリカと比較すると、アメリカ人の資産は、株価暴落などによって大幅に目減りするが中国経済の「総量」はアメリカの3分の2しかないため、目減りする量もアメリカよりも少ない。中国はアメリカより「持ち物」が少ないからだという。「総量」が少ない方が勝つというなら、中国より「総量」が少ない三位以下の日本などのすべての国は中国よりも強いということになる。強いか否かは目減りの量の多い少ないで判断できるものではない。ばからしい勝ち負けの決め方である。貿易なら中国が黒字である。ということは中国が強いということになる。設定の仕方で中国が強かったり米国が強かったりするのであり「総量」の目減りの量で「強さ」を考えるのはアホらしい。

強者は中国という根拠を目減りの量という理屈だけの評論なら馬鹿々々しくて批判する気にならなかった。近藤氏は中国が米国より強い第二の根拠に中国が社会主義であることを上げている。社会主義の本質を理解していないから中国が強いなどと間違った評論を展開するのである。これは批判しないわけにはいかない。

第二に、社会主義の強みである。中国の基幹産業は、ＩＴ企業を除けば、多くが国有企業である。民営企業であっても、大口の取引先が政府機関や国有企業だったりして、国に寄りかかっている企業が多い。そもそも大半の銀行や金融機関が、国有企業である。民営企業がバタバタ倒産していくのは、米中同様だとしても、中国には巨大な国有企業群が残ることになる。

「武漢発『ウイルスとの戦争』」、勝者は中国という皮肉」

近藤氏は中国には巨大な国有企業群が残るから経済は強固であると思い込んでいる。強大な社会主義国家ソ連が崩壊したのは１９９２年である。近藤氏が２７歳の時である。２７歳ならソ連が社会主義国家であることを知っていたはずである。なぜソ連が崩壊したのか。同じ社会主義国家であるのにソ連は崩壊したのに中国は崩壊しなかった。崩壊しないどころかどんどん経済発展していった。近藤氏はその原因を知らないのだろうか。ソ連と中国の違いはなんなのか。違いが分かれば「中国には巨大な国営企業が残ることになる」と言えないはずである。

ソ連が崩壊した根本的な原因はソ連には民間企業はなくすべてが国有企業だったからである。国有企業は経営に優れた資本家が経営しないで、経営に不得手な官僚が経営するから発展しない。赤字経営に陥っていく。中国も国有企業だけであったらソ連と同じ運命をたどっていただろう。中国がソ連のように崩壊しなかったのは鄧小平が日本、アメリカと中国の経済格差に大きなショックをを受け、日本、米国式の市場経済を導入し、外国資本を受け入れたからである。外国資本の進出なしには中国の経済発展はなかった。２７歳の時にソ連崩壊を体験し、日本、米国、ＥＵ企業が中国に進出することによって中国が経済発展していったことを見てきたはずなのに、中国が経済第二位になれたのは外国企業のおかげてあることを知らないのである。社会主義国家の国有企業は経済発展に全然貢献しないことを知らないのである。国有企業は経済発展に貢献していないどころか莫大な赤字を政府が補填しているのである。トランプ大統領が中国政府が国有企業に莫大な補助をしていることにもかみついた。そもそも企業は利益を上げ、税金を国に納めて国民生活に貢献するものである。国民の税金で補助してもらう企業は企業として失格である。赤字企業は倒産させて、黒字企業だけを存在させる。それがアメリカ流である。赤字を国民の税金で補助されることによって生き延びている国有企業は社会主義国家の強みではなく弱みである。外資の民営企業は大口の取引先が政府機関や国有企業ではない。輸出関連の生産が中心である。政府機関や国有企業取引先にしても大した稼ぎにはならない。米国やＥＵなどの経済大国を取引先にすることが大きな稼ぎになる。

近藤氏はニューヨーク株式市場が大暴落したことを取り上げ、株の大暴落のために、一時は、強力なアメリカ経済の後押しを受けて、大統領選で「再選確実」と言われていたトランプ大統領であるが五里霧中になってきたと述べ、現時点では劣勢が伝えられている「社会主義者」と見られている民主党のバーニー・サンダース候補が、大統領になってしまうかもしれないなどとホラを吹いている。

近藤氏の無知には苦笑してしまう。米国は資本主義社会である。誰が大統領になろうが米国が社会主義社会になることはない。大統領に社会主義政治家がなったとしても株の暴落を押さえることはできないし、それにバーデン氏は社会主義政治家ではない。民主社会主義政治家である。社会主義政治家であるならば米国の議会制民主主義を認めないだろう。

民主党候補指名争いで、民主社会主義者を自称するサンダース上院議員への支持は広がっていない。バイデン氏への穏健・保守層の支持が目立つ。サンダース候補が大統領になってしまうかもしれないなんて妄想である。

大統領が誰になろうと新型コロナウィルスによる経済悪化は変わらない。

バイデン氏は、トランプ氏の入国禁止措置が偏見に基づいており逆効果だと指摘し、「私は専門家の意見を聴き、それに従う。米国の指導力を再構築し、各国と脅威に立ち向かう」と違いを強調したが、専門家の支持に従えばアメリカ経済が好調になるというものではない。新型コロナウィルスの治療薬が製造されない限り経済悪化を防ぐことはできない。アメリカ大統領の課題は経済悪化をどれだけ抑えることができるかである。入国禁止措置では株価が暴落したが。トランプ政権が新型コロナウイルス感染拡大に伴う景気対策を発表すると大幅上昇した。新型コロナウイルスは経済にとって最悪な存在である。

中国で13日に新たに感染したのは11人である。うち7人はイタリアなどの外国からの入国者であり、中国本土内で感染したのはたった4人である。4人は湖北省武漢市で確認された。中国は新型コロナウイルスの封じ込めに成功していると言える。近藤氏は封じ込めができたのは中国が社会主義国家だからだという。確かに社会主義国家だから封じ込めに成功したが、感染者の累計では8万824である。こんなに増えた原因も中国が社会主義国家だからである。中国が議会制民主主義国家であったなら日本のように感染をもっと抑えることができたかもしれない。そうすればコロナウイルスが世界に広がることはなかったかもしれない。

中国を単純に社会主義、共産党一党独裁であるというだけでは新型コロナウイルスの急激な拡大と短期間の封じ込めは説明できない。中国が官僚独裁であることを理解すれば説明することができる。中国の権力は人民解放軍の軍部から公務員官僚に移った。つまり公務員幹部の官僚が政権を直接握っているのが中国社会である。。

新型コロナウイルスの流行の中心となった武漢市で働いていた李医師は、昨年12月、SARSに似ているウイルスによる7つの症例に気が付いた。SARSは、2003年の世界的エピデミック（伝染病）を引き起こしたウイルスだ。李医師はチャットグループに入っている同僚の複数の医師に対し、アウトブレイクが起きていると警告するメッセージを送信した。そして、防護服を着用して感染を防ぐようアドバイスした。

4日後、中国公安省の職員が李医師の元を訪れ、書簡に署名するよう求めた。その書簡は、李医師を「社会の秩序を著しく乱す」「虚偽の発言をした」として告発する内容だった。李医師は中国公安省の「我々は厳粛に警告する。頑なに無礼な振る舞いを続けたり、こうした違法行為を続けるのであれば、あなたは裁かれることになるだろう。」の書簡に李医師は「はい、わかりました」とサインさせられた。警察は李医師の他に、7人の医師も「うわさを拡散」したとして捜査を行い、李医師と同じように口封じをした。

日本ではこのような弾圧は起こらないだろう。日本なら上に報告した時に上が口封じしようとしたら政治家やマスコミに訴えることができる。そうすれば公になるから口封じをすることはできない。日本は国民主権国家であり政治家は国民の選挙で選ばれる。国民を危険に陥れるようウイルスの情報を口封じしようとしていたことがばれてしまえば政治生命は終わる。政治家は李医師の情報を尊重してウイルス感染対策をするだろう。マスコミも大々的に報道する。それが議会制民主主義国家の日本である。

中国は国民主権ではない。官僚主権である。だから政治家は選挙で選ぶことはない。公務員の幹部が政治を行う。中国は共産党一党独裁だから共産党の政治が中国全土の隅々まで浸透していると思うのは間違いである。中央政府の大方針は浸透するだろうがそれ以外は地方に任せる。地方で大きなトラブルが発生したら中央政府が乗り出してくる。地方は地方の共産党に加入している公務員そして幹部の官僚が政治を行う。

李医師がアウトブレイクが起きると予測した時に予測段階であって李医師の判断が正しいか正しくないかははっきりとは分からない状態であった。もし、大騒ぎになったら中央政府に知られるかも知れない。もし李医師の予測が間違っていたら中央から処分される恐れがある。だから武漢市の幹部たちは李医師たちの騒ぎを押さえたのでぁる。政治権力を握った公務員は仕事を無難にこなし、処分されないことを優先するのである。無難にこなしたい公務員幹部だから李医師たちの動きを封じたのである。しかし、新型コロナウイルス感染はどんどん広がった。新型コロナ感染が表ざたになると乗り出したのが中央政府である。習近平総書記（国家主席）は、「直接の責任者だけではなく、主要な指導者の責任も問う」と断言した。そして習主席の断言した通り、武漢市の当局幹部ら６２０人を問責処分し、衛生当局幹部３３７人も処分し、指導的な立場にあった６人の幹部を免職した。処分されないようにしたことが逆に大量処分されたのである。

湖北省のトップ、蒋超良書記（６２）と武漢市のトップ、馬国強書記（５６）も更迭して入れかえた。湖北省トップの書記に就任する応勇氏は習主席につながる人脈の１人である。

コロナウイルス感染者が増大したのは公務員が政治権力を握っている官僚主義社会だからである。国民主権の日本だったら武漢市のように急激に感染者が増えることはなかっただろう。
中国で新型コロナウイルス患者が急激に増大した原因は中国が官僚主義の社会主義、共産党一党独裁国家だからである。

新型コロナウイルスの感染が拡大した中国は、経済的なダメージを覚悟しながら移動制限や隔離措置など強力な対策を取った。議会制民主主義の日本なら人権違反、憲法違反のためにできないことも中国政府はできた。新型コロナウイルス封じ込めするために移動制限、隔離処置を徹底してやり感染者を一桁台にしたのだ。１６日の国内感染者は新型コロナの発生源とされる湖北省武漢市で確認された１人にとどまった。公務員主権の官僚主義国家中国だからこそ実現したのである。議会制民主主義の日本ではできないことである。

コロナ感染者の増大も封じ込めも共産党一党独裁国家中国だから現実となった。近藤大介氏は封じ込めに成功したから中国の勝利と言っているが、封じ込めに成功したことを勝利というなら詰まらないことであるがそう思うなら思えばいい。思うのは自由だから。しかし、中国は国営企業があるから民間企業はつぶれても経済面で大丈夫と思うのは間違いである。

外資企業の高度な生産力と国際貿易によって中国経済は世界二位の地位に立っているのである。年間４２１５億ドル（約４６兆４０００億円）という莫大な黒字の米国との貿易が中国経済を支えている。それに米国よりも大きいＥＵとの貿易も中国経済を支えている。新型コロナによって米国、ＥＵの経済が悪化すると中国の輸出はがた落ちして中国経済も悪化する。悪化したら中国の外国企業は中国から引き上げるだろう。ますます中国経済は悪化する。

経済はグローバルである。中国だけが新型コロナ感染を封じ込めたとしても世界の感染者が増大し続ければ中国経済が復興するのは困難である。貿易を遮断し一国だけですべての商品を生産して消費する社会を作れば経済は縮小し衰退するだけである。外国とグローバルな関係を進め貿易を拡大していくことが中国経済を発展させることにつながる。世界の交流は進みグローバル世界になっていることを教えたのが皮肉なことに新型コロナウイルスである。

２０２０年０３月２２日

新型コロナウイルス対策は日本が一番優れているのではないか

新型コロナウイルスが日本と韓国に広がった時から国内外で日本は批判され韓国は褒められ続けている。韓国が徹底してコロナ検査をしたのに日本は非常に少ないことが問題にされた。韓国がおよそ２５万件であるのに日本は約１万３０００件である。

ＷＨＯのテドロス事務局長は感染の拡大を防止するためには感染者の特定が鍵を握るとして、

「検査検査検査検査」

と検査を徹底するよう呼びかけた。韓国は検査を優先し、車の窓越しに行う「ドライブスルー方式」のウイルス検査も実施した。日本は検査を徹底することはなく、原則として「３７度５分以上の発熱がある人は自宅にとどまり、発熱が４日間以上続き、咳が止まらず強いだるさや息苦しさがある人はウイルス検査を受けるように」と指示した。政府は高齢者など重症化しやすい人たちに対して速やかに検査を行い、医療につなげていくことを優先したのである。

検査数が少ないことで日本は批判され続けている。

世界では、検査数が少ない日本は安全に対する誤った意識があるのではないかと懸念し、

「日本の問題は、検査をしなければ、たくさんの感染者を見つけられないということだ」（マニトバ大学ジェイソン・キンドラチャック博士　）と批判されている。世界に批判されている日本であるが感染数が少ないだけでなく死者も少ない。検査数が少ないから死者数も少ないとは言えない。検査をしないと感染の拡大を防ぐことができないはずなのに検査が少ない日本は死者数が圧倒的に少ない。世界はその事実に注目していないし、日本の死者が少ない理由を解明していない。

世界の死者感染者数

イタリア

人口６０４８万死者３４０５人感染４万１０３５人

中国本土

１３．８６億　３２４８　８万９６７

イラン

８１１６万　１２８４　１万８４０７

スペイン	4666万	1002	1万9980
フランス	6699万	371	1万8891
米国	3.272億	150	1万442
英国	6644万	137	2717
韓国	5147万	102	8652
オランダ	1718万	76	2468
ドイツ	8279万	44	1万6290
日本	1.268億	35	914

日本の人口は中国、米国の次に多い。それなのに死者が少ない。人口比で考えれば非常に少ない。この事実を無視して日本の検査数が少ないことを批判するのである。それはおかしい。

在米ジャーナリスト飯塚真紀子は"医療ガラパゴス日本"は、いつまで我が道を歩み続けるのか？」で「日本は感染爆発直前か」と述べ、

「日本は、クラスターにフォーカスすることで封じ込んでいるのか、あるいは、まだ見つかっていない感染者がいるのか、そのどちらかだ。どちらも考えられるが、私としては、日本では今まさに感染爆発が起きようとしており、封じ込めから感染のピークを遅延させるフェーズへのシフトが避けられなくなると推測している。検査件数は増えているが、十分には増えていない」

と英キングス・カレッジ教授で、元WHOヘルスポリシーチーフである渋谷健司氏の予測を引用している。そして、

「今も、東京の電車やレストランは混み合っていること、つまり『社会距離戦略』が取られていないことも指摘している」

と締めくくっている。

日本は感染爆発すると多くの専門家やジャーナリストは予測している。しかし、彼らの予測を日本は裏切るだろう。日本に感染爆発は絶対に起こらない。日本に感染爆発が起こる要素があるならすでに起こっている。コロナ対策に優れている日本だから感染

爆発は起こらなかったのである。ところがＰＣＲ検査信仰に陥っている連中は検査をすれば感染対策が見つかるというだけで、感染対策を説明しない。なぜか。ないからだ。その代表がＷＨＯである。そして医療専門家やジャーナリストも同類である。他の国々の方は検査を広げているが感染者や死者を減らすことは日本より劣っている。なぜ、日本は感染者が少ないか。私なりに考えてみた。

1、第一に国民性がある。日本国民は小さな声で話す。中国人は声が大きい。沖縄県の国際通りは中国人観光客が多い。中国人の声は大きくてかなり遠くからも聞こえる。国際通りを歩いていると沖縄県民の声は聞こえない。居ないのではない。中国人の声が大きくて聞こえないのだ。新型コロナウイルスのために中国観光客は居なくなった。すると県民の声が聞こえるようになった。

声が大きいということは唾なども多く吐き出すし、吐く息も大きく広がる。新型コロナウイルスは空中でも4時間は生きている。声が大きいことは感染する確率が高くなる。そういえばイタリア人やフランス人も声が大きい。

若い頃は多くの洋画を見たが、イタリア人やフランス人は早口で声が大きいのを知った。大きい声を出すし、挨拶の時に抱き合ったり頬をすり合わせる。感染する確率は日本より高いだろう。

日本人は毎日風呂に入るし、トイレの後は手を洗う習慣があって清潔である。しかし、仏や伊の人は日本人ほどは風呂に入らない。昔は仏の水は汚かったらしい。だから、風呂にも泡が出る入浴剤などを使っていたし、毎日風呂に入ることはなかった。だから体から臭いを発する。仏で香水が発達したのは体の臭さを香水で隠すためであった。

昔に比べて水は豊富になったと思うが日本ほどは清潔ではないだろう。

2、日本国民の新型コロナウイルス感染に対する意識は高いと思う。政府の注意をよく聞き、感染しないように気を付けている国民は多い。

フランスは違うようだ。マクロン大統領は「危機はまだ始まったばかりだ」と警告し、禁止令が出ても外出を止めない国民に不満を示し、「家にいろ」とキャンペーンを展開している。ところがフランス国民は外出禁止令が出たのに公園に出かけ、屋外マルシェ（市場）に詰めかけている。国民への「ショック療法」が必要と判断したマクロン大統領は「みんな事態を軽く考えている。責任感を持つべきだ」とテレビで忠告し、取り締まりを強化した。

１７日には外出禁止令を出した。（１）仕事（２）近場での生活必需品の購入（３）短時間の運動のための外出を「例外」として容認した。外出時は、いずれかの理由を記した証明書を携帯しなければならない。だが、春らしい陽気が続く中、「例外」を拡大解釈して出歩く人が続出した。２０日付仏紙パリジャンは、ジョギングの人でにぎわうセーヌ河岸の写真を一面に掲載。「これが自宅にいることか？」の見出しで、市民の責任感の欠如を嘆いたという。陽気で自由なパリジャンらしい行動である。

安倍首相が仏大統領のように「ショック療法」をしたことはない。日本国民は冷静に安倍首相の説明をちゃんと聞いて、行動を慎むからだ。日本と仏、伊の政府に対する態度の違いがある。

３、都道府県の知事も積極的に新型コロナ感染の拡大を防ぐ努力をした。コロナ感染が一番多かったのは北海道であったが、鈴木直道知事は拡大を防ぐため「緊急事態宣言」を出して、小中高を休校にしたり、土日の外出自粛を要請するなど政府より先に実行していった。北海道の新感染者は減り続け３月１６日には新感染者は０であった。北海道だけでなく他の知事も感染者を出さないように努力した。都道府県の積極的な取り組みも新感染者を押さえる効果があった。

４、政府は検査よりも新たな感染者を出さないことを優先した。感染者が出た時は感染源を突き止めることを優先し、そして、感染者と接触した人物を突き止め、感染の可能性がある人を優先して検査をした。病院の入院患者、診察者、看護師や医師、養護施設の老人や介護者に感染者が多いことが判明したのも政府の努力の結果である。

体温３７、５度以上になって咳をしたら検査をするのではなく自宅に居て外に出ないようにし、４、５日続いてひどくなったら検査を受けるようにと政府は指示した。このやり方が一番適切であったかは分からないが、韓国や伊国のように重症者の治療ができない状況にはならなかった。

１、２、３、４の総合で日本では感染者も死者も少なかったと私は考えている。①②③は日本独自の特徴であり外国の人には理解できないのではないだろうか。そして、安倍政権を批判の対象にしか考えていない日本のジャーナリストも気づいていない。彼らは気づく能力が欠落している。

韓国が25万件であるのに日本は約1万3000件であることで韓国は検査件数が多いので模範にするべきと言い、日本は少ないと非難されている。韓国の人口は5147万である。25万件検査したことであたかも新型コロナウイルス感染者のほとんどを知ったような印象を与えるが人口比でみるとわずか0．005％である。5147万人の内の514 7万人は検査していない。たった0．005％を検査しただけで日本の検査数を批判するのはおかしい。

日本は、感染者が出ると感染経路をたどると同時に感染者との濃厚接触者を突き止めて検査をしていった。そして、感染の原因になる可能性が高いのが濃厚接触であり、密室の集団行動は感染率が高いことを国民に伝え、実際にライブハウスなどで感染したことを発表している。

「検査検査検査検査」というが、検査を優先させた韓国は人口のわずか0．005％しか検査をやっていない。検査がコロナ感染を封じ込める有効な方法でないことは明らかだ。

濃厚接触を押さえることが一番重要である。濃厚接触を押さえることができなかったから中国、韓国、そしてヨーロッパ、米国で感染者が増大したのである。濃厚接触を押さえることを優先した日本は少ない。外出禁止令違反が相次ぐために濃厚接触を押さえることができないヨーロッパではやむなく規制強化に乗り出す国が増えている。日本は規制強化をする必要はない。

新型コロナウイルス対策で一番効果があるのは死者をゼロにすることである。感染を恐れるのは死の恐れがあるからだ。感染しても死ななければ誰も恐れない。ゼロにはならなくても死亡率がインフルエンザと同じように0．01になると誰も恐れなくなる。治療薬の開発には一年くらいかかりそうだが、完璧な治療薬はなくても治療方法を開発して、死亡率を低くしていくのも重要な課題である。新型コロナ病に効果がありそうな薬が日本に数種類ある。医療界は頑張って死亡者を減らしていってほしい。

２０２０年０３月２８日

コロナ感染対策は日本が一番優れているのを発信しないマスコミ

日本のコロナ感染死者数は世界で最も少ない。それは偶然ではない。日本のコロナ感染対策の効果である。政府は２月２５日にコロナ感染拡大を押さえるために感染専門家を中心にクラスター対策班を結成した。

感染者は周囲の人にほとんど感染させていなくて、一部の特定の感染者が多くの人に感染を拡大したと思われる事例があり、地域での小規模な患者クラスター(集団)が発生している傾向があることを突き止めたのが日本の感染専門家だった。政府は専門家の指導を受けて。感染拡大を押さえるためのクラスター対策班をつくった。

クラスター対策班はすぐに感染者の多い北海道を指導した。クラスター対策班と北海道知事の連携で北海道の感染拡大を押さえるのに成功した。

検査を増やすよりは感染拡大防御を優先させたのが日本であった。だから感染者は少ないし死者も少ない。感染者が少ないのは検査数が少ないからであるのは確かであるが死者が少ないのは確実に感染者が少ないからである。感染者が少ないのは政府が感染防御を優先した政策を実施したからである。

中国以外で被害が大きな国は、イタリア（死亡２９７８人、感染３万５７１３人)、イラン（死亡１１３５人、感染１万７１６１人)、スペイン（死亡５９８人、感染１万３７１６人)、フランス（死亡２６４人、感染９１３４人）である。日本の感染死者は４７人である。他の国々と比べて非常に少ない。韓国は１３９人と少ないが日本は韓国の半分以下である。日本の人口は１億２０００万人であるが韓国は半分の５０００万人である。人口比で考えれば日本の感染死者は韓国の４分の１以下である。日本の死者は奇跡に近いほど少ない。

少ないのは偶然ではない。はっきりした原因がある。マスメディアは少ない原因を突き止めて世界に発信するべきだ。世界が日本の感染死者が非常に少ない原因を知れば日本から学ぶだろう。しかし、日本の多くのマスメディアは死者が少ない原因を国内で報道しないし、世界に発信もしない。だから、世界は日本を理解することができないで、日本を批判するし死者が少ないのには日本が裏工作をしているだろうと疑っている。

米紙ニューヨーク・タイムズ（ＮＹＴ）は「日本のウイルス成功は世界を当惑させた。そろそろその運が尽きようとしているのか」というタイトルの記事で、街角や食堂、クラブなどでマスクをせずに普段と同じように生活する日本人の日常の写真を見せ、「日本は極端な移動制限や経済的被害が大きな封鎖措置、さらに広範囲な診断検査をせずとも、イタリアやニューヨークのような憂鬱な状況を避けて、伝染病学者の首をかしげさせている」と疑問を呈した。実際はマスクをしている人が多い。最初から多くの人がマスクをしたのは日本である。

ＮＹＴが疑問を感じているのは、日本が中国のように都市を封鎖することもなく、(※中国が封鎖したのは感染者が増大しパニック状態になってからである。日本の今のような状態の時は封鎖をしていないし、感染予防もしていなかった)。シンガポールのように先端監視技術を適用することもなく(※先端監視ではなく、感染経路を調査するのに先端技術を適用した)。韓国のように大々的な診断検査と先制的隔離・治療をすることもなかったのに、病気の拡散を阻止したようにみえるという点である。

特に韓国と比較して日本統計の弱点を間接的に浮き彫りにしたとＮＹＴは指摘する。同紙は日本の人口の半分にもならない韓国が３６万５０００人余りを検査した反面、日本は今まで２万５０００人しか検査していないと批判する。韓国が検査したのは人口５０００万人の内の０・０７％である。Ｉ％よりもはるかに少ない。人口全体から見れば３６万５０００人と２万５０００人に大した差はないことにＮＹＴは気付いていない。検査数を比較して日本を批判するのは間違っている。

日本国立保健医療科学院の齋藤智也・上席主任研究官は、日本の制限的検査は「意図的」と明らかにした。日本は陽性反応が出た患者は病院に入院させ、軽症の患者は自宅待機させることによって重傷者の治療を万全にやっていると述べた。

ＮＹＴは「伝染病学者の謎が少しずつ明かされようとしているようだ」とし、東京オリンピック延期直後、加藤勝信厚生労働相が「感染蔓延の恐れが高い」と報告したことと、小池百合子東京都知事が「感染爆発の重大局面だ」と警告したことを一歩遅れているいると判断している。それは間違いである。東京都の感染者は一日40人台であり死者は居ない日もある。感染爆発が起こる状況ではない。東京は「感染爆発の重大局面」ではないのである。小池知事は感染爆発を絶対に起こさないために先手を打っているのだ。

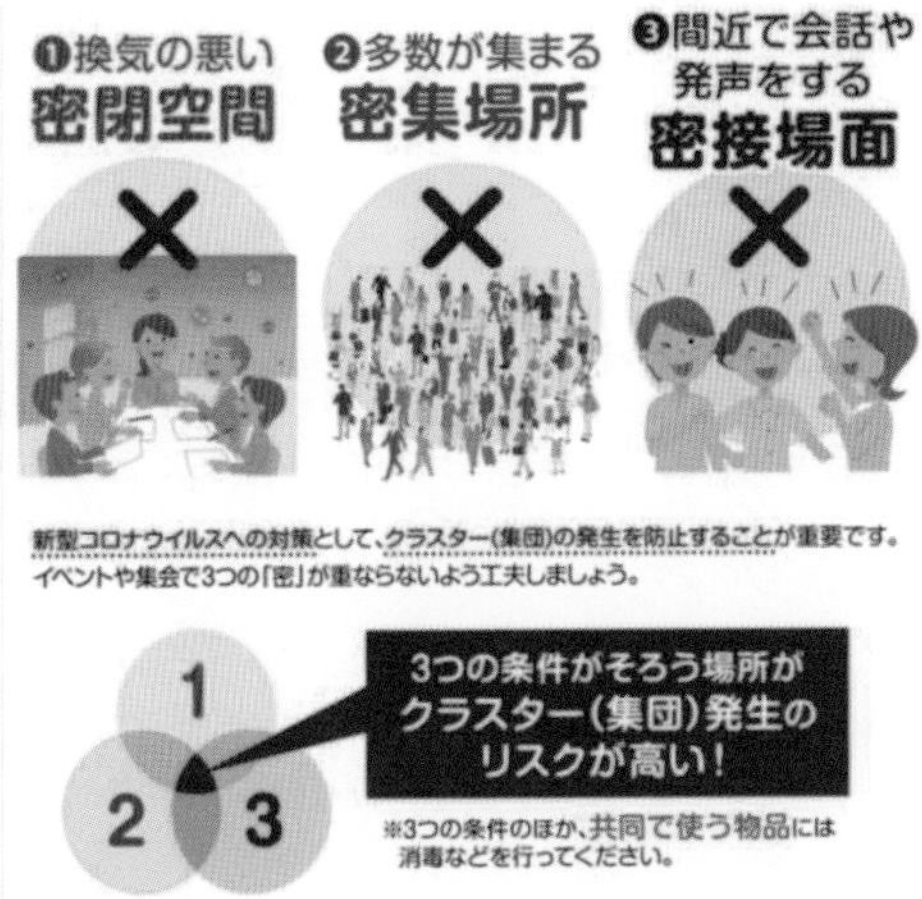

❶換気の悪い
密閉空間
❷多数が集まる
密集場所
❸間近で会話や
発声をする
密接場面
新型コロナウイルスへの対策として、クラスター(集団)の発生を防止することが重要です。
イベントや集会で3つの「密」が重ならないよう工夫しましょう。
1
2
3
3つの条件がそろう場所が
クラスター(集団)発生の
リスクが高い!
※3つの条件のほか、共同で使う物品には
消毒などを行ってください。

日本こそがコロナ感染を拡大させないために先手先手を打ってきた国である。日本政府は感染を防ぐのに効果があるのが、密閉空間、密集場所、密接場面を作らないことであると国民に知らせ、3つの条件をつくらないように国民に要請した。

感染者が出るとライブハウス、養護施設、病院などクラスター発生の場所を突き止め、その場所を閉鎖して消毒を徹底した。

政府の徹底したクラスター発生を押さえる政策がコロナ感染の拡大を押さえ死者を少なくしたのである。このことを日本のマスメディアは世界に発信しない。だから世界に誤解されるのである。

次に注目することは政府はクラスター発生をなくせばコロナ感染を終わらせるとは思っていないことである。大阪府の感染者の内訳である。

大阪府の感染者の内訳(25日現在)

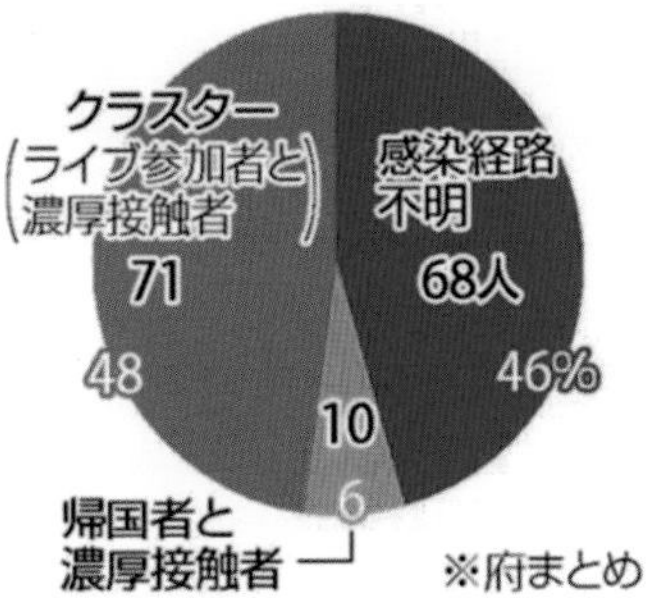

感染経路
不明
68人
46%
クラスター
(ライブ参加者と
濃厚接触者)
71
48
10
6
帰国者と
濃厚接触者
※府まとめ

感染経路不明者が４６％である。不明者については感染源を排除することができないから、感染を防ぐことができない。クラスター対策は感染を押さえるのが目的であり、クラスター対策だけで感染をなくすことはできない。クラスター対策の目的は感染のオーバーシュート(感染爆発)の時期を遅らすことと低くすることである。

都市部では感染経路不明の割合が高くクラスター対策では限界がある。クラスター対策の次にするのが大規模イベントなどの中止である。東京都の小池知事は、新型コロナウイルスの大規模な感染拡大が認められた場合は、首都の封鎖＝ロックダウンもあり得るとして、ロックダウンしないために２３日から３週間、イベントなど人が密集する空間への外出を控えさせようとしている。

「この３週間オーバーシュートが発生するか否かの大変重要な分かれ道であるということです」

と、小池知事は都民に訴えた。

オーバーシュートは確実にやってくる。しかし、先延ばしすることはできる。先延ばし戦術に徹しているのが日本である。

先延ばしするだけでなく、オーバーシュートを太い線のように低くするのも国の狙いだ。

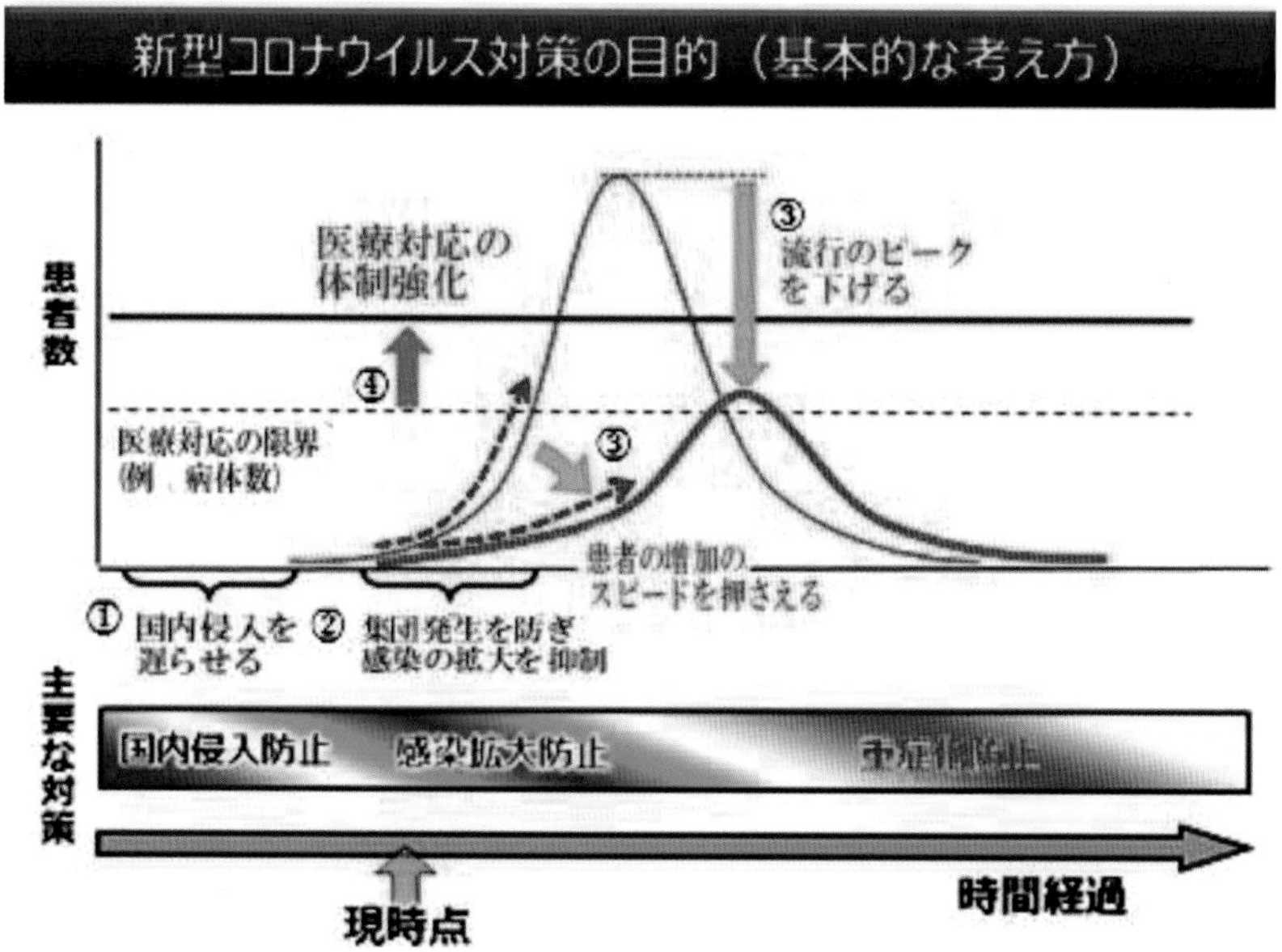

① 国内侵入を遅らせる。

② 集団発生を防ぎ拡大を抑制。
③ 患者の増加のスピードを押さえる。
④ 流行のピークを下げる。

コロナ感染を完全に止めることができるのは治療薬の開発以外にはない。治療薬ができるのは半年から一年かかると言われている。それまではコロナ感染の拡大をクラスター対策やイベント、移動を押さえてオーバーシュートにさせないのが日本のやり方である。

日本は新型コロナ感染を徹底して研究し、対策を立てて実践した。世界の中でコロナ感染対策に一番優れているのが日本である。

新型コロナに感染するのは検査をする医師や看護師も多い。医師や看護師は防護を万全にするはずだから感染しないと思っていたが違った。中国、日本、韓国、ヨーロッパとすべての国で医師や看護師が感染した。中国やイタリアなど多くの国で死者も出している。新型コロナの感染力は怖いくらい強い。

新型コロナウイルス感染者と関わっても感染しなかったチームが日本にいる。自衛隊である。

クルーズ船での新型コロナウイルス感染対策という史上初めての事態に、対応を迫られた日本政府が派遣したのが自衛隊である。投入したのは述べ8,500人である。派遣されたのは東北の部隊が中心となった。経験のない事態に臨んでいた自衛隊が徹底していたことがある。ウイルスからの防護だ。

自衛隊の業務は「船内の消毒」「診療や薬の配布」「薬の仕分け」「検査で陽性となった患者の搬送」と主に4つに分かれていた。それぞれの業務で独自の防護基準を設けていたが、一部では、厚生労働省の基準よりも厳しくした。

消毒の業務では、厚生労働省が、マスクと手袋を使用することを基準にしていたのに対し、自衛隊は防護服を着た上で、手袋も万が一破れてもいいように2重にし、防護服とのつなぎ目を粘着テープで塞いだ。そして、靴カバーをはき、飛まつが目に入って感染しないようゴーグルを付け重装備した。

厚生労働省の検疫官が感染した。自衛隊は河野防衛大臣が、「自衛隊からは1人も感染者を出さない」と述べたことに応じて対策を強化した。薬の仕分けをする際にも、防護対策として、ガウンやヘアキャップを付けるようにした。

マスクの鼻にあたる部分を抑えて少しでもウイルスが入らないようにし、基本を徹底した。

乗客全員のＰＣＲ検査をすることになった時にはウイルスや細菌を使った生物兵器への対応に訓練を重ねた「対特殊武器衛生隊」を投入した。

万全の防御をしたから自衛隊は一人の感染者も出さなかったのである。自衛隊のような防御に徹すれば検査をする医師や看護師が感染することはない。政府は全国の医師に万全な防御をするように指導するべきである。

自衛隊がＰＣＲ検査をするために鼻水を採取する時は完全防御した。鼻に採取棒を入れるのでくしゃみをする時もある。その時には唾液が検査員に降りかかる。完全防御しなければいけないのに多くの医者や検査員が完全防御しなかったから感染したのである。イタリアでは医者だけでなく多くの神父が感染している。防御しないで死者の葬儀に立ち会ったからである。

感染の恐れがあるのが検査をする医者や看護人である。そして神父である。自衛隊のように防御すれば感染しないことを知っているのは日本である。感染者が拡大しないことを望んでいるマスメディアならば自衛隊が感染しなかったことを世界に発信するべきである。

安倍首相は防衛大学の卒業式で、クルーズ船の対応では、延べ８，５００人を超える自衛隊員が任務に当たったこと、ＰＣＲ検査においては、医官が、僅か１０日あまりで、２，２００人を超える検体採取を完了したこと、隊員からは、ただの１人の陽性者も出していないことを述べた。残念ながらこのことに注目して世界に発信したマスメディアはない。

日本のマスメディアは、日本がどの国よりも新型コロナウイルスを研究し、感染対策を立てたから死者が非常に少ないことを世界に発信しない。北海道の新型コロナ感染が劇的に減った。全国では急激ではなくゆっくりと増えている。韓国、ヨーロッパ、米国が短期間で急激に増えたのとは対象的であることを日本のマスメディアは発信して、日本の新型コロナ感染対策が優れているこを世界に理解させるべきである。

２０２０年０４月０１日

コロナ感染死者の少ない原因を世界に説明できない日本マスメディアの愚かさ

共同通信は、「日本の状況『世界が当惑』　感染増を回避、理由分からず」の記事を配信した。

米紙ニューヨーク・タイムズ電子版は、「厳しい外出制限をしていないのに、イタリアやニューヨークのようなひどい状況を回避している」と世界中の疫学者は理由が分からず「当惑している」と配信した。

米コロンビア大の専門家は、日本のやり方は医療崩壊を避けるため、意図的に検査を制限しているとみて「ばくち」であり「事態が水面下で悪化し、手遅れになるまで気付かない恐れがある」と警鐘を鳴らした。

ドイツの雑誌「ウィルトシャフツウォッヘ」は電子版の記事で、「欧州と違い多くの店舗が開いているのに、日本の感染者数は少ない」と疑問を持つ。

「ニューヨークタイムズ」は新型コロナウイルスの対策をめぐり「日本人は真剣に受け止めていない」と批判した。そして、「日本では感染者数と死者数が比較的少ないため安心し、混雑した地下鉄に乗り、花見のために公園に集まったりしている」としている。また、検査自体も韓国と比べて１５分の１近くしかしていないと批判した。

日本のことを詳しく知ることができるのは日本のメディアである。しかし、外国のメディアの間違いや疑問に答えることができる日本のメディアはない。

日本の新型コロナ感染対策は世界で一番優れている。

しかし、そのことを世界が知るには日本の新型コロナ感染対策を詳しく調査して日本のコロナ感染対策が優れていることを素直に認めることが必要である。

悲しいことにそのようなメディアは日本にはない。外国に向かって死者数が少ない原因を正確に発信しないから、「大量検査ＶＳターゲットを絞った検査、新型肺炎の日韓戦は韓国が勝利」という記事がワシントン・ポスト紙に載るのである。

パンデミック(世界的大流行)で猛威を振るっている新型コロナウイルスに対する韓国と日本の対照的な対応方法をめぐり、米国メディアは韓国を高く評価したとワシントン・ポスト紙は述べている。

米国メディアは、「日本はすべての人を対象にした検診は資源の無駄と考え4日以上の症状が4日間に続く場合にのみ検診する。これは本当に病気である人だけに限られた資源を効率的に集中するというものである。数字だけ見ると、日本の政策は成功である」と皮肉っている。日本は感染者数を少なくする目的の政策をしていると勘違いしているのである。米国メディアには無差別に診断して感染者を増やすより感染者の濃厚接触者を探し、集団感染を見つけて対処することを優先させた日本のクラスター対策を理解できないのだ。

韓国は屋外にもドライブスルー施設を設置して、数百か所の臨時検診所を設けて検査を優先した。軽い症状でも認められた患者は、家族に感染させないようにすぐに隔離させた。患者の健康状態を確認し、必要に応じて、患者を集中治療室に迅速に移送させた。感染者を早期に発見し隔離することが韓国の政策である。米国メディアだけでなくWHOやほとんどの国が歓迎した政策である。日本だけは世界と違ったコロナ感染対策をした。

人口5000万人の韓国は39万4000人が検診を受け、このうち9583人の感染者を発見した。1億2700万人の日本は約2万8000人を対象に検診を行い、1724人の感染者を発見した。

ワシントン・ポスト紙の理論であるならば日本の死者よりも韓国の死者が少なくなるはずである。ところが韓国の死者は152人で日本の死者は55人である。日本の方が死者は圧倒的に少ないのである。人口は日本の方が韓国の二倍以上であるから死者は2倍以上になるはずであるのに3分の1である。人口比でみると6分の1なのだ。

韓国のように感染者を多く見つけるのを優先するか日本のように感染拡大を押さえるのを優先するかの違いである。韓国のやり方は多くのメディアが発信したが日本のやり方を発信したメディアはなかった。せめて日本のメディアは発信してほしかったがやらなかった。

ジャーナリストの大御所木村太郎氏はニューヨークタイムスの「検査が少ない。日本は運が良かったのかもしれないけど、もう運がないよ」の記事を信じ、「僕は手遅れだと思う」と言ったのである。日本の優れた医療を知る努力をしないで米国の報道を鵜呑みにする日本ジャーナリストは多い。国民のために必死に新型コロナウイルスと闘っている「クラスター対策班」を知らないのは残念である。

厚労省は2月26日にクロスター対策班を立ち上げて、厚労省の基本的考えを公表した。

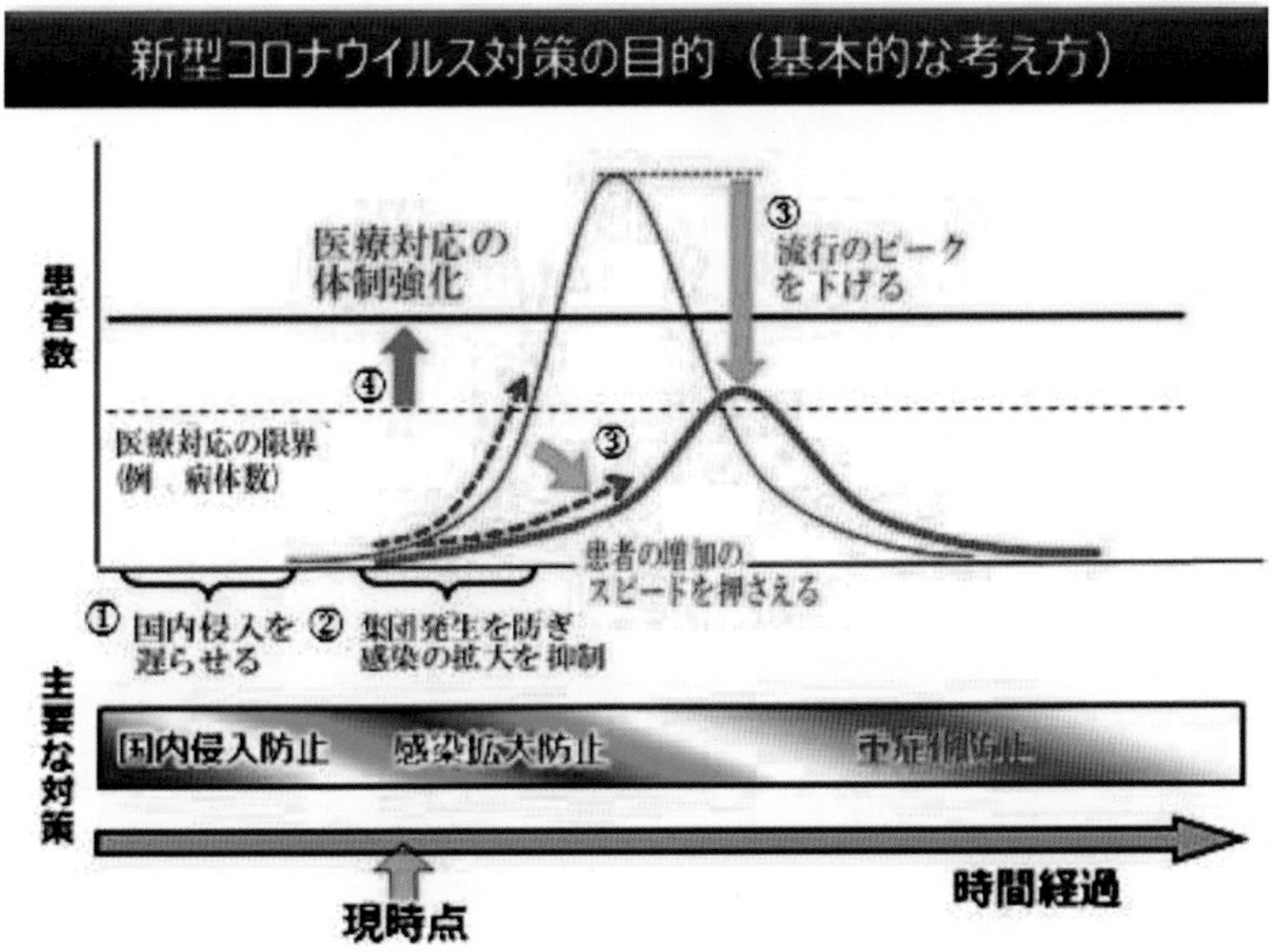
新型コロナウイルス対策の目的（基本的な考え方）
患者数
医療対応の体制強化
③流行のピークを下げる
④
医療対応の限界（例．病床数）
③
患者の増加のスピードを押さえる
①国内侵入を遅らせる
②集団発生を防ぎ感染の拡大を抑制
主要な対策
国内侵入防止
感染拡大防止
時間経過
現時点

1国内侵入を遅らせる。
2集団発生を防ぎ拡大を抑制。
3患者の増加のスピードを押さえる。
4流行のピークを下げる。
が厚労省の方針である。

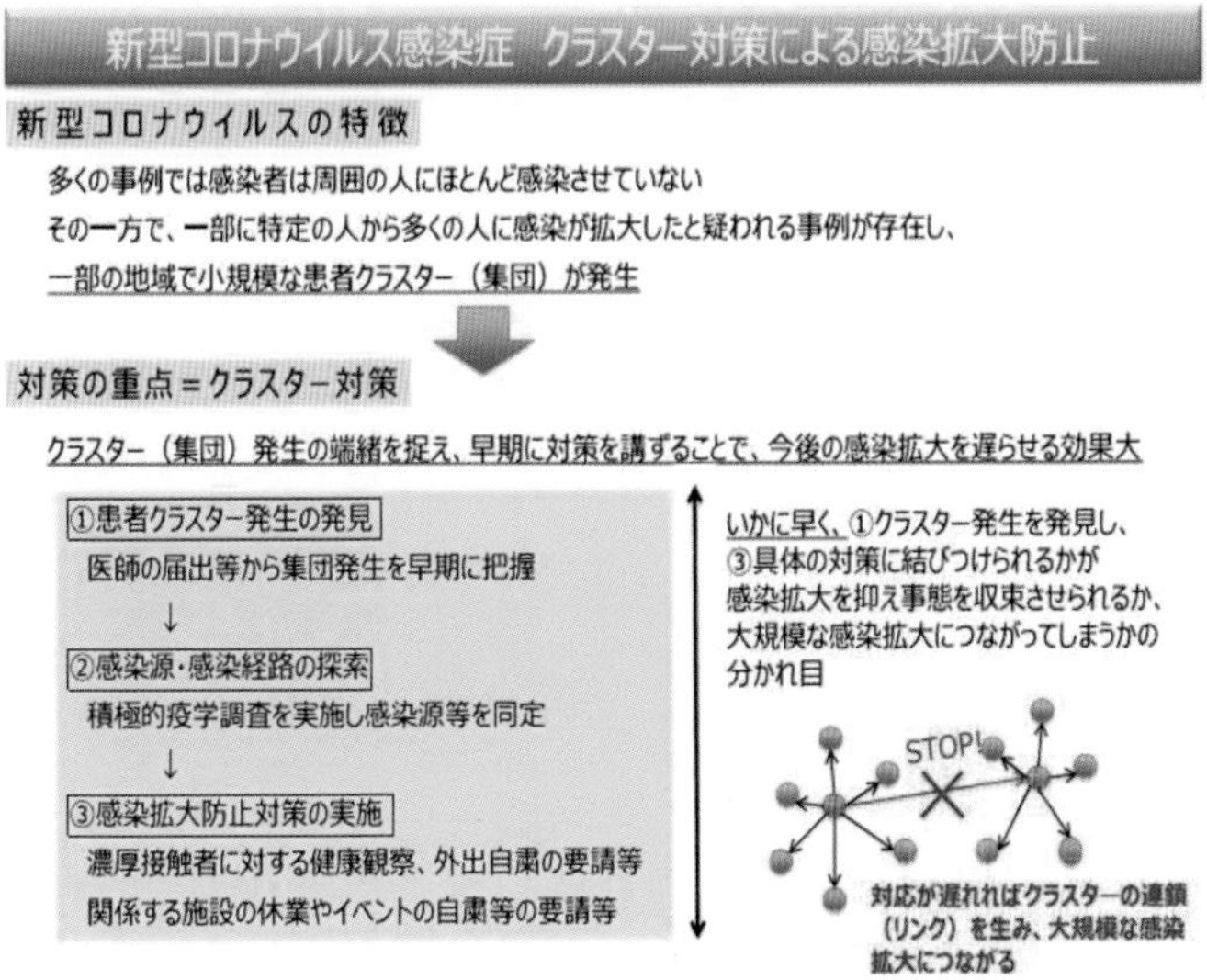
新型コロナウイルス感染症 クラスター対策による感染拡大防止
新型コロナウイルスの特徴
多くの事例では感染者は周囲の人にほとんど感染させていない
その一方で、一部に特定の人から多くの人に感染が拡大したと疑われる事例が存在し、
一部の地域で小規模な患者クラスター（集団）が発生
対策の重点＝クラスター対策
クラスター（集団）発生の端緒を捉え、早期に対策を講ずることで、今後の感染拡大を遅らせる効果大
①患者クラスター発生の発見
医師の届出等から集団発生を早期に把握
②感染源・感染経路の探索
積極的疫学調査を実施し感染源等を同定
③感染拡大防止対策の実施
濃厚接触者に対する健康観察、外出自粛の要請等
関係する施設の休業やイベントの自粛等の要請等
いかに早く、①クラスター発生を発見し、
③具体の対策に結びつけられるかが
感染拡大を抑え事態を収束させられるか、
大規模な感染拡大につながってしまうかの
分かれ目
STOP!
対応が遅れればクラスターの連鎖（リンク）を生み、大規模な感染拡大につながる

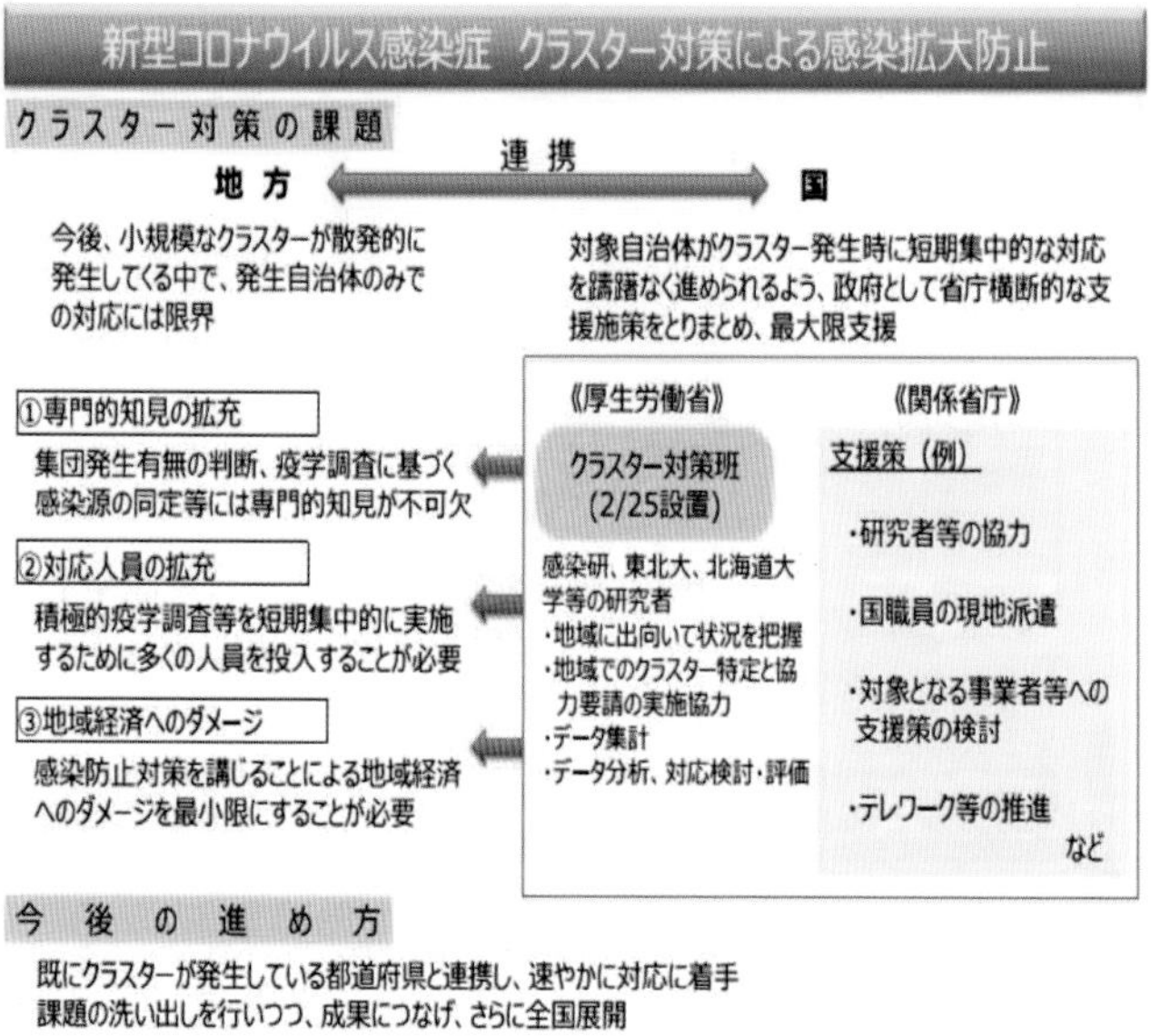
新型コロナウイルス感染症　クラスター対策による感染拡大防止
クラスター対策の課題
連携
地方
国
今後、小規模なクラスターが散発的に発生してくる中で、発生自治体のみでの対応には限界
対象自治体がクラスター発生時に短期集中的な対応を躊躇なく進められるよう、政府として省庁横断的な支援施策をとりまとめ、最大限支援
①専門的知見の拡充
集団発生有無の判断、疫学調査に基づく感染源の同定等には専門的知見が不可欠
②対応人員の拡充
積極的疫学調査等を短期集中的に実施するために多くの人員を投入することが必要
③地域経済へのダメージ
感染防止対策を講じることによる地域経済へのダメージを最小限にすることが必要
《厚生労働省》
クラスター対策班
(2/25設置)
感染研、東北大、北海道大学等の研究者
・地域に出向いて状況を把握
・地域でのクラスター特定と協力要請の実施協力
・データ集計
・データ分析、対応検討・評価
《関係省庁》
支援策（例）
・研究者等の協力
・国職員の現地派遣
・対象となる事業者等への支援策の検討
・テレワーク等の推進
など
今後の進め方
既にクラスターが発生している都道府県と連携し、速やかに対応に着手
課題の洗い出しを行いつつ、成果につなげ、さらに全国展開

政府は「クラスター対策班」を立ち上げて、厚生労働省のＨＰで発表し、都道府県にも通達した。しかし、マスメディアが注目することはなかった。クラスター対策班と都道府県の連携で新型コロナ感染のクラスターを見つけて、感染源を突き止め、感染者を隔離し、新たなクラスターを発生させないようにした。国民にはクラスターが起こった場所を知らせて、その場所に行かないようにすることによって感染拡大を押さえることができた。だから、死者が少なかったのである。

新型コロナウイルスの感染は症状が軽い人と重い人の二種類があり軽い人は治療しなくても治癒する。重い人は人工呼吸器を使って治療しなければならない。そのことをクラスター対策班は認識していた。しかし、他の国々はそのことを認識していなかった。だから、検査をやってすべての陽性者を隔離することに専念した。それが医療崩壊につながった。

「クラスター対策班」に注目しない日本マスメディアは日本の検査件数が韓国より非常に少ないことを批判するだけで死者数の少ないのを無視した。ＷＨＯの会長も検査を最優先した。できるだけ多くの人を検査して感染者を隔離するのが一番の対策だと一にも検査二にも検査を指導した。ところが日本だけは違った。コロナ感染者がどこで感染したか、誰から感染したかの調査を優先したのである。クラスター潰しが政府の方針である。政府の方針を理解しなかったのが日本のマスメディアである。

２０２０年０４月０４日

県庁職員コロナ感染　沖縄もヤバくなったか

沖縄県職員で初めての新型コロナウイルス感染が確認された。感染が確認されたのは新規採用の２０代男性である。彼は１日に県へ採用されたばかりであるが、県庁であった辞令交付式に出席していた。

濃厚接触の可能性があり、自宅待機となった職員は約３０人。大半は式の参加者だ。感染が広がれば、県政への影響は必至。県施設閉鎖の可能性について、糸数氏は「今後の推移による。可能性はある」と含みを持たせた。

問題は沖縄県職員の２０代男性の感染経路が複雑であり、彼のような感染者がすでに県内に居るかもしれないことである。

感染判明する６日前までは彼は感染していた家族と同行していた。感染していたのは５０代の男性であるが１０代の娘と３月２３日の神戸空港経由で那覇空港に到着した。沖縄滞在中の２６日に食欲不振などを感じたという。沖縄滞在最終日の２８日から頭痛やせきがあり、岡山県内に帰宅後、感染が判明。３日までに５０代男性の１０代の娘、同居の妻の感染が判明した。

５０代男性が沖縄在住した５日間で多くの県民と接触しただろう。県庁職員のように感染した県民は居るかもしれない。県は５０代男性、県庁職員の行動を徹底して調査し、接触した県民を検査するべきである。

沖縄は観光立県である。中国や韓国からの観光客はゼロに近い。外国からの観光客は望めない。本土からの観光客が救いである。しかし、新型コロナ感染のリスクがある。新型コロナの侵入を防ぐ必要がある。沖縄は海に囲まれていて他県とは列車やバスではなく航空機で行き来している。コロナ侵入を防ぐために３７・５度以上の乗客は検査するという温度管理システムを徹底してほしい。沖縄は安心だというイメージがつくられれば本土からの観光客は増えるだろう。

新型コロナウイルスは県民の健康と経済の維持という相反する問題を抱えている。県政はこの問題をどのようにして乗り越えていくかが問われている。

２０２０年０４月０４日

新型コロナ対策で日本が米国・イタリアより遅れていると思わせたい朝日

朝日新聞は「外出自粛、遅れ目立つ日本　グーグル位置情報使って比較」で「小売店・娯楽（飲食店などを含む）」「職場」「食料品店・薬局」「駅など」「公園」「住宅」の６種類の場所で、４８時間～７２時間以内に人々が出入りした動きを通常時と比較したグーグルの増減の割合を１３１の国・地域について公表したのを参考に朝日新聞はイタリア、米国、日本を比較している。

イタリア

「小売店・娯楽」への出入り９４％減、「職場」６３％減、「住宅」２４％増

人々は不要不急の外出を抑え、自宅にとどまっていることがうかがえる。

米国

「小売店・娯楽」は４７％減で「職場」３８％減。

日本

「小売店・娯楽」が２６％減、「職場」９％減

三国を比較すると外出を控えたり、自宅で勤務したりする取り組みが、主要国中で最も日本が遅れている様子が浮き彫りになっていると日本を批判する朝日である。

朝日はイタリアの感染死者が１万４６８１人、米国が７０００人であるのに対して日本の死者はわずか７８人しかいないことを無視する。死者数に大差があるから外出や自宅勤務に差があるのは当然である。

むしろ、新型コロウイルス感染の初期はイタリア、米国は新型コロナ感染対策をしなかった。だから死者が急激に増えたのである。対策が遅れて感染者、死者が急激に増えたので政府も国民も慌てて外出を控え、自宅勤務を増やしたのである。イタリアや米国に比べて日本の新型コロナウイルス対策は早かった。だから、死者が圧倒的に少ないのだ。

朝日は日本政府の新型コロナ対策が劣っているとイメージさせるのに固執している。こんな愚かなことをしているのが日本マスメディアのトップである。

２０２０年０４月０６日

首相、緊急事態宣言へ　クラスター潰しの限界

安倍晋三首相は新型コロナウイルスの感染拡大を受け、緊急事態宣言に踏み切る意向を固めた。諮問委員会に諮り、専門家の意見を仰いだうえで、近く宣言を出す方針だ。

日本の新型コロナ感染死者数は１０２人である。１００人を超え危機状態になったといってもニューヨーク州の死者数は４０００人を超えている。世界の国々と比べれば圧倒的に少ない。日本の死者数が圧倒的に少ないのは政府のクラスター対策班によるクラスター潰しの成果である。しかし、クラスター潰しでコロナ感染を完全に止めることはできない。政府の目的は感染をできるだけ押さえて、ピーク時を遅らすことと、ピークを低くすることである。

世界の国々と比べればクラスター潰しが成功していることは一目瞭然である。外国に比べて新型コロナウイルスの感染者は少ないし、ピークはまだやってきていない。

グラフではピークの前に医療対応の限界が点線で示している。限界を超えれば医療崩壊になる。

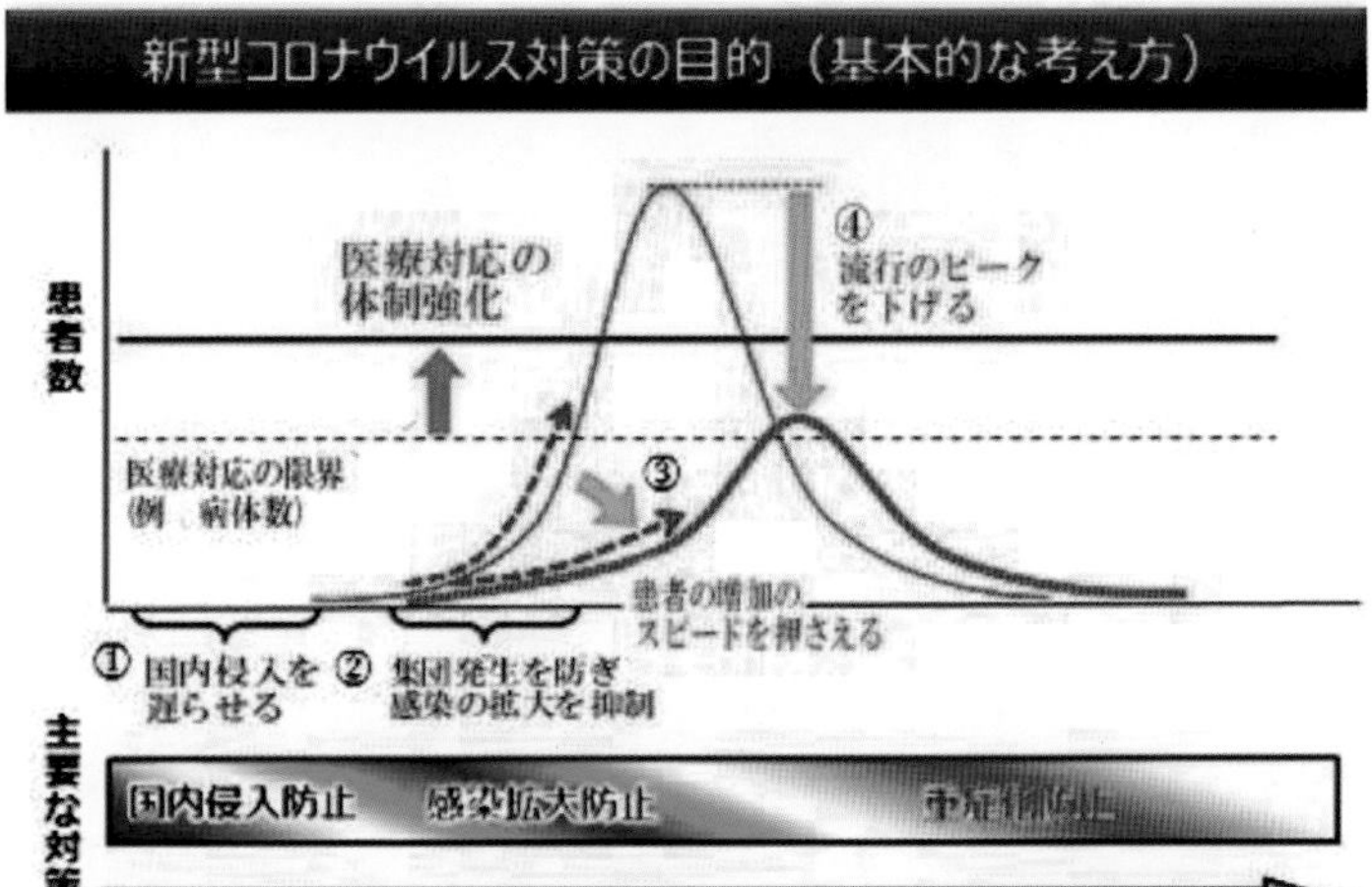

首相の緊急事態宣言はピークを押さえると同時に医療対応の体制強化が目的となる。

東京都で確認された感染者が２日連続で１００人

を超えているが、深刻な問題は感染経路をたどれない例が増えていることである。クラスター潰しをやるには感染経路が分からなければならない。感染経路が分からなければクラスター潰しができない。感染経路を知るには感染者の行動を解明する必要がある。しかし、日本は情報提供を命令することはできない。任意で聴取しなければならないから感染者が拒否すれば聴取することができない。聴取を拒否する若者は多く、感染経路の把握が低下しているのが東京や大阪の都市部である。東京では6割が感染経路不明である。週末は不要不急の外出を自粛することを求めても効果がなく、コロナ感染者は倍増している。

日本が新型コロナ感染が倍増している一方韓国は100人以内に減少している。日本と対象的である。日本のクラスター潰しに対して韓国がやったのはPCR検査拡大であった。ではPCR検査拡大の効果で感染者が減っていったかというとそうではない。PCR検査拡大で感染を防ぐことはできるはずがない。韓国が実施したのは日本の聞き込みよりも効果的なクラスター探しである。それがデジタル監視である。

韓国は感染の疑いのある人々を追跡する方策として、デジタル監視を使った。携帯電話のユーザーは、実名と住民登録番号を電話会社に届け出るから、個人の特定が可能になる。さらに、国内の都市に800万台設置されている監視カメラによる追跡ができる。この三つのデータの提供を受けることで、感染の疑いのある人物の行動を、高い確率で監視することができる。

さらに、韓国行政安全部が開発したモバイルアプリを使って、自宅での強制隔離の対象者の経過報告などの用途に加え、GPSによる追跡機能もそなえ、無断外出などを監視する。感染者の行動は公開される。

韓国はデジタル監視を徹底することで新型コロナ感染者を100人以内に押さえることができたのである。デジタル監視技術は中国が第一人者である。官僚独裁国家中国は国民を支配・管理するためにデジタル監視を徹底している。

デジタル監視をすれば日本でもコロナ感染者を劇的に押さえることができるが、日本でデジタル監視は困難である。

「感染者は○○地区、○氏（○○歳・女）。2月9日と16日に新天地教会の集会に参加した彼氏と会った」

フェイスブックで公開した女性感染者の情報である。○の部分もフェイスブックでは公開していて、勤務先名まで明かしている。この女性は、集団感染の発生源として非難を受ける新興宗教の信者との交際まで公にされ、SNSに「家族も友人も傷ついた。身体より、心理面がきつい」と訴えた。

韓国政府はカード使用や防犯カメラなどの記録から割り出した訪問施設などを本人らの同意なしに発信する。新型コロナ感染を押さえるのにはクラスター潰しより効果がある。しかし、個人の権利は剥奪されてしまう。

文政権は「世界一の透明性」で感染ペースを抑えていると自負しているが、個人の信条の自由や交友関係をさらすのは民主主義精神に反する。韓国には民主主義の精神が欠落している。

日本では韓国のような個人情報を公開することはできないだろう。

日本は政府の権力が弱い。日本が太平洋戦争に敗北した時、米国は日本が中央集権国家にならないように徹底して中央政府の権力を弱体化した。そのために命令権が政府にはない。安倍政権が全国の小中高校を休校にしようとした時、政府は休校を決めたのではなく地方自治体に要請をした。政府が小中高校の休校を決めることはできない。小中校は市町村長、高校は都道府県の知事が決めるのである。だから、沖縄のように休校をやめることもできる。

政府の出す緊急事態宣言も同じである。他国と異なり政府は命令はできない。要請および指示どまりである。日本の国家としての体制は政府が命令し、国民が従う形ではない。日本は地方自治体の権利が強い。

韓国のように個人情報を公開しないで、政府がデジタル情報を管理して、感染者の行動を調べて、クラスター潰しに利用することはできるだろう。問題は感染者の感染経路であり、デジタル管理で感染経路が分かれば徹底したクラスター潰しができるが、日本政府はデジタル管理しなくても、感染を押さえ、緊急事態宣言によってピークを低くし、医療崩壊を克服してほしいものだ。

２０２０年０４月０６日

ＰＣＲ検査信奉のアホな学者・評論家が朝日テレビに出る

感染免疫学、公衆衛生学を専門とする白鴎大学教育学部の岡田晴恵教授がテレビ朝日「羽鳥慎一モーニングショー」（月～金曜前８・００）に出演して、政府が検査を広範囲にしないことを批判し、「日本の場合には今、サイレントキャリアがどのくらいいるか分からない。それからオーバーシュートが起きていても分からない。ですから起きているのかもしれない。クライスターがどこにいるかも分からない」とまくしたてた。

岡田教授は「再三申し上げていますが、政策を決めるためにはデータが必要でございます。そのデータの基になるのが市中感染率」と指摘。検査数の多い韓国を例に出して「かなり（感染の広がりを）抑え込めている」と韓国を讃える。

韓国の検査数は約４３万件である。日本より４０万件も多いが人口比では０・５６％の検査数である。韓国は大量検査をしていると強調しているが１％以下である。検査したのは１００人中の１人以下なのだ。１％以下の検査が政策を決めるデータになると強調する岡田教授である。岡田教授の頭の中には統計学がないようである。１％にも満たない資料で政策を決めるのは愚かである。

韓国が感染を抑え込めているのは１％未満の検査をしたからではない。感染者の感染経路をデジタル監視で感染潰しを徹底してやったからである。

玉川徹氏と政治ジャーナリストの田崎史郎氏も検査数の少ないことへの批判を繰り返す。岡崎氏にコメンテーターの石原良純（５８）は「２カ月同じことを言ってる」と皮肉った。

朝日は日本の検査数の少ないのを批判する連中を集めて安倍政権批判を繰り返す。とにもかくにも安倍政権批判である。詰まらない。

世界の感染者は１２７万人、死者は７万人である。致死率は５％である。日本の死者は１０４人であるから世界の比率からみれば日本の感染者は１８９０人ということになる。韓国は感染１万６２人、死者は１７４人である。韓国の人口を日本に当てはめれば感染６１１７人である。世界と韓国を参考に日本の感染者を想定すればいいだけのことだ。

２０２０年０４月０８日

日本のクラスター対策の成果を理解していない海外メディア

安倍首相が発令した緊急事態宣言に関する海外の主要メディアからは、欧米諸国の非常事態宣言などと比べて「大胆な措置を取るのが遅い」「強制力も罰則もない」と厳しい批判が相次いだ。

ＡＦＰ通信
日本の措置には外出禁止や店舗閉鎖などの強制力はなく、違反者への罰則もないため「欧米での都市封鎖（ロックダウン）とは程遠い。
英ＢＢＣ放送
専門家からは発令が遅過ぎるとの声が出ている。ドイツや米国は、日本が社会的距離確保の措置実施や新型コロナの広範囲な検査実施に失敗したと強く批判している。
米ＣＮＮテレビ
中国と経済・地理的に関係の深い日本では早い段階で感染者が出ていたのに世界の他の多くの地域で見られるような大胆な措置を取るのが遅かった。集中治療室（ＩＣＵ）のベッド数や検査数の少なさのほか、人工呼吸器の不足で医療崩壊への懸念が広がっている。
ロイター通信
緊急事態宣言の発令前から、ツイッターで「東京脱出」が話題になっていた。別荘地の軽井沢には東京のナンバープレートの車が増えている。
ドイツ紙
日本政府は問題を過小評価しているのか？
高度な医療システムを持つ国の割には死亡率が高すぎる。
時事通信
措置遅い。強制力ない。

世界のほとんどのメディアは、日本政府は真剣に新型コロナ対策をやっていないと批判しているが、すべてのメディアが扱っていない事実がある。死者数である。検査数が少ない。死亡率が高いことなどを問題にしているが、日本の新型コロナ感染死者数は非常に少ないことを海外メディアは扱っていない。日本の死者は９８人である。

世界の死亡した人
▽イタリア　1万5887人
▽スペイン　1万2418人
▽アメリカ　9643人
▽フランス　8078人
▽イギリス　4934人
▽イラン　3603人
▽中国　3331人

海外に比べて日本の98人は極端に少ない。なぜ少ないのかを海外メディアは理解できないのだ。

安倍首相は「日本は世界とは違うコロナ感染対策をした。クラスター対策班を設置しクラスター潰しをやった。だから感染死者は少ない」と緊急事態宣言した後の記者との質疑応答で述べた。しかし、クラスター対策班に注目する日本のマスメディアはない。

安倍首相は記者会見でクラスター対策が死者を少なくしていることを述べた、

「海外の例を見ればヨーロッパの国々と比べれば、はるかにこの感染者の増加のスピードは遅いわけでありますし、そして同時に、われわれは他の国と違ってクラスター（集団感染）対策というのが入っています。クラスター対策というのを早い段階からやっています。これ大変なんですが、このクラスター班っていうのは、現地に行って朝から晩までずっと、感染者が出れば、この人が接触した人をずっと追っていきます。その皆さんにはPCR検査をやっていただいて、クラスターを潰していくという形でやっている。これは日本の一つの特徴なんだろうと思いますし、これを評価もしていただいているんだろうと思います」

安倍首相は評価されていると思っているがほとんどのマスメディアは評価していない。むしろクラスター潰しの効果を無視することによって安倍政権の評価を潰している。

首相と同席した政府の専門家会議で副座長を務める地域医療機能推進機構理事長の尾身茂氏はクラスター対策の意義を説明した。

「首相がおっしゃる通りで、私の方からは、外国の場合と比較して、日本がここまでですね、これからまたわからないので、今、緊急事態宣言を出したんですけど、それまでに何とか持ちこたえてきたのは

3つの理由があると思います」

「1つはクラスター対策、日本だけというわけじゃないですけど、自分が初期の頃からやっている。それから、これは国民の健康意識、これ2009年の新型インフルエンザのときも、世界で死亡率は、10万人あたりまではもうひと桁違うぐらい少なかったという意味で国民の健康意識。それから3つ目は、もちろん日本の医療制度にもさまざまな課題がありますけども、比較的しっかりした医療制度で、新型コロナ感染が疑われたような人は、かなりの部分がシステムに探知されて、PCRも完全ではないんですけど多くの人にされて、必要な治療が今のところ与えられてきたということが、これまで持ちこたえてきた理由だと思います」

クラスター対策が新型コロナ感染拡大を押さえ、死者を劇的に少なくしたのは事実である。クラスター対策班は2月26日に発足したが、クラスター対策班に注目した日本マスメディアはいなかった。だから、北海道でコロナ感染者が減った裏にクラスター対策班がいることをマスメディアは国民に知らせなかった。

日本のマスメディアが無視するのだから日本のことを日本の報道で知る外国のマスメディアがクラスター対策の効果を知るはずもない。

尾身氏は、

「屋形船（からの感染者発生）は間違いなくクラスターだと思う。和歌山の（済生会有田）病院もその可能性はある」

と、既に国内で複数のクラスターが発生していると認識していたのである。「クラスターの連鎖をいかに絶つかが重要だ」と、クラスター潰しをやっていった。この重要なことを日本マスメディアは無視してきたのである。

死者が1万人を超えた国々はロックダウンをして厳しい取り締まりが必要であるがロックダウンは経済を大きくダウンさせる。経済破綻を招きかねない。日本政府が目指しているのは新型コロナ感染の拡大を押さえ同時に経済も無難に維持することである。

クラスター潰しには感染者の感染経路が分からなければならない。しかし、感染経路不明者が増加している。特に東京、大阪のような都市部では感染経路不明が増加している。クラスター潰しでは限界である。これもクラスター対策班は最初から想定していた。クラスター潰しの限界がやってきたから政府は緊急事態宣言をしたのである。

感染を押さえて、経済も維持するという日本政府のやり方は複雑で理解しにくいが一番優れたコロナ対策である。日本マスメディアは素晴らしい日本政府のコロナ対策を世界に発信するべきだ。

２０２０年０４月０９日

県は那覇空港だけでなく全ホテル、民宿で検温、味覚、臭覚の検査をするべき

沖縄県は新型コロナウイルス感染症の水際対策として、、那覇空港の到着口２カ所にサーモグラフィーを設置し、国内線で入域する全ての客に対し表面体温の測定を実施することにしたが、那覇空港だけでなく沖縄の全ホテルで検温をするべきだ。

空港で検温した時は平熱であっても数日後に３７・５度以上になる旅行客もいる。新型コロナウイルスに感染しても症状が出るのに一週間後になるケースもある。空港で平熱だからといって新型コロナウイルスに感染していないと判断するのは間違いだ。それに平熱であっても味覚や臭覚が低下するケースもある。ホテルと民宿で客の新型コロナ感染を常に調査することは重要である。

本土から来るのを法律で止めることはできない。知事が来県しないように要望しても止めることはできない。県ができるのは来県者の新型コロナ感染を見つけることとである。それには空港だけでなくホテル、民宿のほうがより確実にチェックできる。コロナ感染の疑いがあれば保健所に連絡してＰＣＲ検査をしてもらう。空港だけで検温するだけでは駄目だ。

県は早急にホテル、民宿で検温と味覚、臭覚検査をするように指導するべきだ。

※４月２７日

県は連休中に約６万人が来県することを心配するだけで対策は皆無である。県ができる対策がホテル、民宿、観光地などに検温するよう要請することである。新型コロナに感染すると多くの人は発熱する。３７・５度以上は感染している恐れがある。３７・５度以上の観光客には行動の自粛を要請するべきだ。心配するだけで何もしないのは心配しないのと同じである。無策な県である。

２０２０年０４月１２日

ＷＨＯが日本のクラスター対策を評価した　でも遅いよ

日本
感染者　６７９３人
死者　１３３人

世界
感染者　１７４万５２９０人
死者　１０万７０６４人

米国
感染者　５１万４４１５人
死者　１万９８８２人

スペイン
感染者　１６万１８５２人
死者　１万６３５３人、

フランス
感染者　１２万９６５４人
死者　１万３８３２人、

英国
感染者　７万８９９１人
死者　９８７５人

ＷＨＯ（世界保健機関）で緊急事態対応を統括するライアン氏は１０日、ジュネーブで記者会見し、日本の新型コロナウイルスの対策について「クラスター（感染者集団）の追跡調査を組織的に行い、非常に優れたデータを取っている」と高く評価した。しかし、評価するのが遅すぎる。

クラスター対策班によるクラスター潰しがあるからこそ日本の新型コロナ感染者と死者を押さえることができたのである。新型コロナ死者が米国、スペイン、イタリア、フランス、英国が１万人以上であるのに日本は１３３人である。日本の死者は非常に少ない。クラスター班３０人の不眠不休の努力があるからこそである。日本のマスメディアがクラスター班を無視し続けてきたのは非常に残念である。

マスメディアがＷＨＯの「検査検査」よりも感染経路捜査によるクラスター潰しが優れていることを世界に発信していれば世界の新型コロナ死者をもっと少なくすることができただろう。

２０２０年０４月１５日

クラスター潰しこそが新コロナ感染封じの最良手段　その真実に目を背ける日本マスメディア

新型コロナ感染封じ込めの一番の方法は仕事も交通もストップして全国民を家から一歩も出さないことである。完全封じ込めを一カ月間続けて、全ての感染者を完全隔離すれば新コロナを封じ込めることができる。

中国政府は、武漢などの深刻な地域で新コロナ感染封じ込めとして「封鎖」政策を実行した。市民の移動を厳しく制限し、団地などでは居住者以外の出入りを禁じた。食料品は共同購入させ、管理を徹底した。市民の生活を維持するために、人とモノを集中的に投入し、湖北省武漢を中心に食料、生活物資、医療器具を約７５万トンを配達するために４万人以上を派遣した。「封鎖」政策は成功し、コロナ感染を武漢から一掃することができた。

中国のような「封鎖」政策は日本ではできない。市民の自由を完全に奪う封鎖ができたのは中国が官僚独裁国家だからである。議会制民主主義国家である日本で市民の自由を完全に奪う政治はできない。人権侵害になる。それに経済が完全にストップするから経済破綻を招く。完全封鎖からの経済復興は難しい。日本なら経済界の反発も強くなるから中国のような封鎖は無理である。

完全封鎖の次に有効な方法がクラスター潰しである。新型コロナ検査は感染拡大抑え込みには何の効果もない。効果のないことを説明する。

米国　検査数５５万２０００件。米国民は３．２８２億人。検査は国民の０・１６％。

ドイツ　検査数８０万７０００件。人口は８３０２万人。国民の０・９７％検査。

韓国　検査数４３万件。人口５０００万人。国民の０・８６％検査。

検査数が大きいと言われている国でもＩ％にも満たない検査数である。無差別に検査すれば感染者を見つける確率は９９分の１以下ということになり感染者を見つけるのに効率が悪いのである。

ＷＨＯが「検査検査検査」と世界の国々に検査をするように指導した時に、新型コロナウイルスの検査は簡単にできると思っていた。ところが新型コロナウイルスを見つけるＰＣＲ検査は2時間以上もかかり、感染発見率は7、８０％である。しかも、検査には高度な技術が必要であり検査員は限られているのだ。検査数が1％にも満たないということは統計的に見ればコロナ感染者を見つける確率が１％にも満たないということである。「検査検査」は本当は現実にそぐわない方法なのである。

無差別なＰＣＲ検査は感染者を見つけるのに効率が悪いというのが本当のところである。ＰＣＲ検査が簡単にできると信じているから「検査検査検査」を主張するのである。それでも世界の国々は無差別なＰＣＲ検査を優先させた。そのために新型コロナ感染者の発見に遅れ、新型コロナ感染を拡大させたのだ。

米国など検査が多い国が新コロナ感染者が多いのは検査数が多いからではない。感染者が多かったから検査数が多くなったのである。感染すれば熱が出る、体がだるい、味覚や臭覚がなくなるなどの症状が出る。感染者は病院に行き多くの人がＰＣＲ検査をして陽性と判断されるのである。

ＰＣＲ検査を何十万人もやった国で日本のように感染者が少ない国はひとつもない。感染者が多いから検査数が増えたのである。

「検査を増やせば感染の実態が分かり、迅速な隔離と治療につなげられる。もっと検査を」は間違っていたのである。

確かにドイツは感染者が少ない時に無差別な検査を優先していったから検査数は多かった。しかし、検査で新型コロナ感染の拡大を防ぐことはできなかった。そのために新型コロナ感染者は最初の頃は少なかったのにどんどん増えていった。すると無差別検査よりも感染症状のある市民の検査が増えていき、無差別の検査数は減っていったのである。

ドイツは８０万７０００件を検査して感染者が１０万８２０２人である。そして、ドイツの死亡者数は２１０７人であるが日本の死者は１２０人である。

感染者数は検査数によって左右し、検査数が少なければ感染者数は少ないだろう。しかし死者は検査数が左右することはない。このことを参考にして日本の感染者数を推測してみる。ドイツが死者２１０７人に対して感染者が１０万８２０２人とするならば、日本がドイツと同じように感染者と死者の割合が同じだとすれば感染者は死者の51・3倍であるから日本の感染者は6165人である。実際の日本の感染者は6162人になる。ドイツの感染者と死者の比率から計算した数ではわずか3人多いだけであり、ほとんど同じである。計算した私がびっくりである。日本の新コロナ検査が少ないことで、「検査を増やせば感染の実態が分かり、迅速な隔離と治療につなげられる。もっと検査を」と世界から批判される言われはない。

安倍首相はPCR検査を一日1万に引き上げたと言ったがそれでも一年の検査数は国民の3%の365万件である。10万なら3650万件である。100万検査なら36500件である。300万件検査で1億950万件である。一日300万件検査で1億2000万人を検査するのに1年以上かかる。それに検査した時に隠棲であっても数か月後に陽性なる人もいる。300万件で1年かかるのだ。PCR無差別検査はすぐに破綻したはずだ。それを隠しているのだ。

世界は検査優先をしたように思われているが感染症状の国民が急激に増えていってほとんどは症状のある人のPCR検査をするようになったのだ。それがドイツと日本の死者数から割り出した感染者数の比較で明らかである。

なぜ日本は新コロナ死者数が非常に少ないかに注目することが重要である。

ヨーロッパや米国より早く新型コロナウイルスが侵入したのは日本である。日本の方が死者が多くて当然であるはずなのに非常に少ない。しかも検査数も少ない。検査を増やして感染者を早く見つけ隔離したほうが治療ができ死者を少なくすることができるのに、日本は検査が少ないのに死者が少ない。世界の常識を覆したのである。世界の常識を覆した人物がいる。押谷仁教授である

医学系研究科微生物学分野の押谷仁教授。

東京都出身。1991年から1994年まで、国際協力事業団（JICA）の専門家として、ザンビアでウイルス学の指導を行った経験を持つ。1999年8月から2006年にかけては、フィリピンのマニラにある世界保健機関（WHO）西太平洋地域事務局にて感染症対策アドバイザーとして勤務した。赴任中の2002年には重症急性呼吸器症候群（S

ARS）が発生し、同僚のカルロ・ウルバニ内科医と共に事態収拾への対応を行った。2005年9月より東北大学大学院医学系研究科微生物学分野教授。

押谷教授はクラスター対策班のリーダーである。押谷教授はWHOへ出向していた2002年に出現したSARSの世界的な封じ込めの最前線で陣頭指揮を執り成功した人である。押谷教授はSARS封じ込めという経験を有する日本の感染症封じ込め対策立案の第一人者である。

押谷教授は中国武官で新コロナウイルス感染が拡大している時にいづれは日本に侵入してくることを予測し新コロナ対策を研究していた。

押谷教授はSARSと新コロナの違いを見抜いていた。

SARSはほとんどの感染者が重症化し、典型的なウイルス肺炎を発症したので発症者のほとんどを見つけることができた。しかし新型コロナウイルスは軽症者や無症候性感染者がかなりの割合でいると考えられ、感染者を徹底的に見つけることができないと神谷教授は推測したのである。それだけではない。軽症者や無症候性感染者が周囲に感染を広げる感染性を持っている可能性があると推測した。

SARSは潜伏期間や発症初期にはほとんど感染性がなく、重症化した段階でのみ感染性があったが新コロナは潜伏期間にも感染性があることを示唆するデータが得られてきている。そうなると発症者を早期に隔離してもその前に他の人に感染させている可能性があり、封じ込めはできないことになる。

押谷教授は

1新型コロナウイルスに我々はどう対峙すべきなのか

2新たな段階に入っている新型コロナウイルスと人類の戦い

3新型コロナウイルスに我々はどう対峙すべきなのか2

4「想像する力を武器に」の最後に

の4つの論文で新型コロナについて書き、2月22日の論文「想像する力を武器に」の最後に、

このウイルスは非常にしたたかなウイルスである。今後、日本でも厳しい局面があることも十分に考え

られる。しかし、このウイルスの弱点も少しずつわかってきており、希望の光も見えてきている。私はこのウイルスを日本で早期にコントロールすることは十分に可能だと、今は考えている。この光を確かなものにするために日本に住むすべての人が今何ができるかを真剣に考えることが必要である。

と書き、2月26日に結成したクラスター対策班のブレーンとして、30人のメンバーと一緒にクラスター潰しにまい進していく。

押谷教授が採用した基本方針は「社会・経済機能への影響を最小限にしながら、感染拡大の抑制効果を最大限にする」ことである。対策の最大の目標は「発生の端緒を捉えて早期に対策を講じることであり、感染拡大の速度を抑制し、可能な限り重症者の発生と死亡者数を減らす」ことである。

クラスター潰しの例

手すりやドアノブの消毒は徹底して新コロナ対策を徹底していた国立病院機構大分医療センターであったが元入院患者の男性の感染が確認され、医師や看護師、患者らの陽性が次々と判明した。新型コロナウイルスのクラスター（感染集団）が発生した原因がわからなかったので厚労省は感染経路の特定や拡大防止のため、クラスター対策班を派遣した。対策班は原因の一つに、医師や看護師が使うタブレット端末などを介して感染が広がる「接触感染」を挙げた。休憩室が感染経路になった可能性も指摘した。

「手すりやドアノブの消毒は徹底していたが、タブレット端末はやっていなかった。まさか、そこから感染が広がるとは・・・」

クラスター対策班によってクラスターの原因が分かり、外来診療を再開できるようになった。

クラスター班のクラスター潰しは感染原因を明らかにして、感染しない対処のやり方を指導することである。

Å医師の新コロナ陽性が判明した。医師はキャバレーに行ったことがあったのでキャバレーの従業員を検査した。すると従業員合わせて11人の感染者がいた。医師の家族を検査すると0歳児の娘が感染していた。

クラスター潰しとは感染経路を徹底して調査して感染者を見つけて、隔離し、再び新型コロナ感染を出さないようにすることである。。

クラスター潰しは新型コロナウイルスの性質を知り抜いていたからこそ実行できた感染拡大を押さえる戦略である。だから日本は感染者数も死者も非常に少ないのである。

クラスター潰しが新型コロナ感染拡大を押さえることができたのは２００２年に重症急性呼吸器症候群（ＳＡＲＳ）の事態収拾を指導した押谷教授が居たからである。日本には世界に誇る新型コロナ対策の第一人者押谷教授が居るのである。そのことを認識していないのが日本のマスメディアである。日本のマスメディアがクラスター潰しが新型コロナ感染の拡大を押さえていることを世界に発信していれば、世界も日本のクラスター潰しを学び実践していただろう。そうすれば感染者・死者をを今より少なくしたことができたはずである。

残念ながら日本のマスメディアはクラスター潰しを世界に発信しなかった。だから世界は日本の新型コロナ感染者が少ない原因を理解することができなかったのである。世界の国々はＷＨＯが提唱した「検査検査検査検査」のＰＣＲ検査を優先したのである。ニューヨーク州は日本の感染数と同じくらいになった時に日本より先手を打つ方法として都市封鎖をした。ロックダウンをすれば日本よりも感染者を減らすことができると楽観視していた。ところがニューヨーク州の感染者は急激に増加した。日本より先手を打ったはずなのに日本よりはるかに感染者が増えたのである。クラスター潰しを知らないニューヨークはお手上げ状態になった。

日本のマスメディアはクラスター対策班によるクラスター潰しを評価し世界に発信するべきであった。しかし、日本のマスメディアはクラスター対策班の成果を評価しなかった。今も評価していない。

「ギャラップ・インターナショナル」が、「自国政府はうまく対処していると思うか」という調査でうまく対処していると思う割合は、日本は２３％で世界２８位であった。つまりビリから2番目であった。世界で最も感染死者が少ない日本であるのに政府はうまく対処していないと国民は思っているのである。

地位もお金も名誉も関係なく日本国民の健康と生命を守るために必死に頑張っているクラスター対策班であるのに国民は彼らの死に物狂いの闘いを知ら

ないのである。真実を捻じ曲げるマスメディアの強大な洗脳の力を見せつけられた気がする。戦前の軍国主義国家の大本営発表の逆バージョンである。戦前は国家が国民を洗脳した。今は民間のマスメディアが国民を洗脳しているのである。洗脳で安倍政権不信を募らせているのである。

韓国のマスメディアはＰＣＲ検査を優先したことを世界にアピールし、感染者の退院が多いこと、そして、今は感染者が二桁まで減ったことをアピールした。世界の国々は韓国を称え、韓国方式を取り入れる国々が増えていった。一方日本は新コロナ検査が少ないことが批判された。死者が少ないのはごまかしていると疑われた。死者数をごまかすことはできない。もしごまかしていることが発覚すればマスメディアが一斉に非難するだろう。

日本のマスメディアは政権叩きに明け暮れている。感染死者が非常に少ないことを取り上げれば安倍政権の成果をアピールすることになる。マスメディアにとって安倍政権は批判する対象でしかない。重箱の隅をつついてまで批判できるものを見つけ出して批判するのである。

世界の国々と比べて日本のコロナ死者が非常に少ないのは明らかである。紛れもない事実である。なぜ少ないのかを追及するのはマスメディアの使命である。しかし、日本のマスメディアは死者が少ないことを問題にしたこともなければ少ない原因を追究したこともなかった。なぜか、死者が少ないことを問題にすれば安倍政権の政策を認めることになるからだ。

マスメディアはクラスター対策班の存在は発足した時から知っている。クラスター潰しの成果も知っている。死者数が少ないのはクラスター潰しの成果であることも知っている。

死者が非常に少ないことを問題にすればクラスター潰しの効果を認めなければならないし、それは同時に安倍政権の政策を認めなければならなくなる。安倍政権批判が腰砕けになってしまうのだ。だから、マスメディアは検査数が少ないことを繰り返し批判するが死者数が非常に少ないことを問題にしないのである。マスメディアは安倍政権批判のみに固執しているのである。そのためにコロナ対策に「自国政府はうまく対処している」とは思っていない国民が

77%になるのである。

ドイツ国民はメルケル政権に対する満足度が72%である。ドイツの死者数は4000人である。ヨーロッパの他の国々に比べたら少ないが日本の死者数は155人である。ドイツの人口は8300万人で日本の人口は1億2000万人である。日本の死者が非常に少ないのは明らかである。それなのに日本の死者数の少なさを問題にしない日本マスメディアはドイツ在住の日本医師にドイツの死亡率が低いわけの説明をインタビューするのだ。それよりも日本のマスメディアは日本の死者数が少ないことを徹底して調査するべきである。

日本の新コロナ対策が世界で一番優れていることは死者数が非常に少ないことで明らかである。その事実に日本のマスメディアは目を背けている。安倍政権批判最優先のマスメディア報道によって世界でクラスター潰しが最高の対策であることを国民に伝えないで、安倍政権がコロナ対策で世界より遅れていると誤解させている。日本のマスメディアは最低である。

2020年04月20日

新コロナウイルスが暴力団に大打撃を与える

新コロナ感染の被害を受けるのは人と人の接触で成り立っている第三次産業のサービス業が中心である。第一次産業の農業、漁業などは人と人の接触はないし、第二次産業は工場などで働くから接触する相手は固定している。新型コロナ感染率は低い。しかし、サービス業の第三次産業は人と人の接触で成り立っているから感染率が高い。

ガールズバーで働いていた女性が新型コロナに感染したが、ガールズバーの実質的な経営者は六代目山口組傘下の組に所属する組員だったというニュースがあった。

暴力団の収入源はガールズバー、キャバレーなど夜の接客業が中心である。夜の商売がクラスターをつくり感染する原因であると指摘され、客は来なくなっているし、閉店するように要請されている。閉店すれば暴力団の収入源が断たれる。新コロナは暴力団に大打撃を与えているだろう。

２０２０年０４月１７日

意義ある石垣市長の店名公表

中山石垣市長は１６日、新型コロナウイルスの大規模なクラスター（集団感染）発生の恐れがあるとして独自の緊急事態宣言に踏み切った。

中山市長は、

「市民の生命や健康に大きな危険が及びかねない」と危機感をあらわにし、

「感染した人から次の人、その次の人へと無自覚にうつす可能性がある。どうしても止めたいので宣言する」

と中山市長は宣言の決意を説明した。

石垣市の新コロナ感染拡大を絶対に押さえたいという中山市長の必死さが溢れている。

中山市長は感染源が石垣市美崎町の飲食店「ヘイランド」と系列店の「ヘイナイト」であることを公表した。３月２２日に従業員の２０代男性Ａ、Ｂが県外から訪れた客と同席したが、客は石垣を離れた後に感染が発覚した。沖縄県は従業員らに３月３１日に「客との濃厚接触者」であると伝え、４月５日まで自宅待機するよう要請した。ところがすでに発症していたＢは飲食店などで会食を繰り返していた。保健所などの調査で、濃厚接触者が市内で１００人以上に上ることが分かった。やはり感染は中山市長が恐れていた通り県外から来た人からだった。

・・・このままだと石垣市は新コロナ感染者が蔓延する・・・

危機感を抱いた中山市長は感染源の店名を公表し、１００人の濃厚接触者がいることを市民に明らかにした。そして、１７日からは約４万８千人の全市民が２週間の自宅待機するよう異例の要請をした。

新コロナウイルスの感染力の強さを知っている中山市長だから公表したのである。

市内感染を防ぐには感染源と濃厚接触者を公表するべきである。公表すれば市民は緊張し、感染しないように自宅待機、接触回避をするようになるだろう。

県は沖縄初の死者の市町村名を公表しなかった。公表するべきである。確実な情報によると死者は沖縄市民のようである。市町村名を知れば疑心暗鬼による県民の不安がなくなる。

県知事と全市町村長に求められるのが中山市長のように勇気ある感染源、感染者匿名公表である。

２０２０年０４月１９日

日本は絶対に海外のような感染爆発は起こらない。断言する。

安倍首相が4月7日に緊急事態宣言を発令した直後から、宣言は遅すぎた。海外のロックアウトに比べて生ぬるいなどの批判がマスコミでは溢れた。そして、ニューヨーク、イギリス、ドイツ、イタリアに居る日本人医師やジャーナリストによって「今のニューヨークが二週間後の日本の姿だ」という批判が続いた。

日本で感染爆発が起こるというのが多くの海外の専門家やマスメディアの判断である。海外だけでなく日本国内にも多くいる。日本は絶対に海外のような感染爆発は起こらない。断言する。日本は海外ではやらなかったクラスター潰しをやっているからだ。

日本はクラスター潰しをやり海外の国々は厳しい都市封鎖、ロックダウンをやった。罰金や懲罰を科した。その結果がロックダウンをやった海外の国々は死者が数千人から1万人以上に達したが、日本の死者は２００人未満だったのである。

死者数を比べればロックダウンよりクラスター潰しが何十倍も新型コロナ感染拡大封じの効果があるのは明白である。

日本政府の緊急事態宣言はクラスター潰しに加えた新型コロナ感染封じ作戦である。クラスター潰し＋外出禁止や社会的隔離要請が緊急事態宣言の目的である。クラスター潰しだけでも感染爆発は起こっていないのだから緊急事態宣言をすればなおさら感染爆発は起こらない。当然のことだ。

ロックダウンでは感染爆発が起こることを世界の国々は実証したのであって感染封鎖に成功したのではない。感染封鎖に成功したのは日本のクラスター潰しだ。

東京都は一日の感染者が２００人を超えたことが問題になっているがニューウヨーク市は感染者ではなく一日の死者が３７７８人なのだ。ヨーラッパで感染拡大抑制に成功したと判断し厳しい経済封鎖を緩和するドイツでさえ感染者数は１０万人を超え一日の死者数は１４０人である。

クラスター潰しの効果で感染者数１万人死者数２００人に抑えている日本が緊急事態宣言をするのだから感染爆発が起こるはずがない。

2020年04月21日

日本は絶対に海外のような感染爆発は起こらない　断言する2

安倍首相が非常事態宣言したことに対して、国内外のマスディアは「遅い」「甘い」と批判した。そして、「今のニューヨークが二週間後の日本である」の予測が国内外の専門家から発表された。今でも日本の感染爆発を予想する専門家が多い。

世界で一番新型コロナ封鎖に成功した台湾の徐丞志准教授は「悲観的シナリオ」としては、日本の感染者数のピークは4月26日前後になり、日本全体の累計感染者総数は5万人に達する可能性があるという試算を発表し、「楽観的シナリオ」として、日本の感染のピークは4月16日となり、累計の感染者数は2万人以上に達するとする試算を発表した。他の専門家の予測に比べれば徐准教授の予測は少ないほうである。少ない予測であるがまだまだ多い。

今日は20日である。感染者は1万0804人であるから徐丞志准教授の楽観的シナリオの半分である。楽観よりも少ない日本の感染者数なのだ。悲観的シナリオは4月26日前後の5万人であるがシナリオの3分の1に留まるだろう。断言する。

徐丞志准教授の楽観的シナリオさえ間違っているのが日本の新型コロナ感染の増え方である。

徐准教授は生物医学が専門で公衆衛生や感染症の専門家ではないが、1月から新型コロナの拡大予測を学生向けに解説し、フェイスブックなどで公表してきた。感染の最初の発生地となった武漢のある中国・湖北省や韓国のケースで徐准教授の予測が的中に近い形となり、英雑誌『エコノミスト』にも紹介され、台湾のメディアなどから注目されるようになった。

徐准教授は、

「隣国の日本については台湾でも非常に関心が高く、日本の状況を知ってもらうことに役立てれば」という考えで、湖北省や韓国のケースで予測を的中させた統計理論を用いて日本についても予測をしたという。しかし、徐准教授の予測は外れた。日本の厚労省統計などに基づいて感染症の流行過程を算出する古典的なSIRモデルを使用して検証したが外れたのである。外れたのは徐准教授が日本の新コロナ対策であるクラスター潰しを予測に導入することができなかったからである。国内の専門家の多くがクラスター潰しの効果を認知していないのだから徐准教授が導入しなかったのは無理もない。

クラスター潰しを知らない徐准教授は、「即座に大掛かりな検査の拡大をして、潜在的な感染源を可能な限り探し出し、予防的隔離を講じることが必要であると指摘する。ここ2週間の陽性率は1カ月前の陽性率よりも高くなっていることは、水面下で感染の拡大が進んで、日本国内に未確認感染者が大量に存在する可能性があることを示していると徐准教授は思っている。徐准教授の新コロナ封じはＰＣＲ検査を拡大して陽性の人を隔離することと都市封鎖(ロックダウン)である。

徐准教授は日本と台湾の新型コロナ対策における取り組みの違いについて、

「日本と台湾は2月から3月にかけて、同じように、感染者は低いレベルを維持していました。しかし、3月下旬から現在まで、日本の感染者数は大幅に増加した結果、台湾とは大きく差が開くことになっています。日本は3月下旬の春分の日の三連休など休日の外出が制限されなかったことと、大きな関係があるのではないでしょうか。(行楽地などへの)大規模な人の移動が、新型コロナウイルスの拡散を引き起こした可能性があります」と人と人の接触を禁じなかったことが感染拡大の原因としている。

3月まで新コロナ感染者が少なかったのは第一波である中国からやってきた新型コロナをクラスター潰しで押さえることができたからである。しかし、第二波のヨーロッパから侵入してきた新コロナを押さえることができなかったために新コロナ感染が増大していった。特に東京、大阪の都市部では感染経路が不明の感染者が増え、クラスター潰しができないケースが増えた。感染経路不明の感染者が多くなったことが感染者を増やすことになった。外出禁止をしなかったことが本当の原因ではない。感染者拡大の本当の原因を知っていないから徐准教授は予測を間違ったのである。。

・

クラスター潰しは新コロナウイルスの感染パターンを徹底して調査したクラスター対策班の独自の感染封じであり、歴史的な新戦術である。

新型コロナは人から人に感染する。それは過去の感染病と同じである。普通に考える感染の仕方は一人から二人、二人から四人と倍々式の増え方である。それが今までの感染病の増え方であった。しかし、新型コロナの場合は感染の仕方が違っていた。そのことを押谷教授のグループは発見した。

例えば10人の感染者が居た場合、新型コロナは全員が感染させるのではなかった。感染経路を調査していくと10人の内2、3人の感染者だけが5、6人以上に感染させていた。押谷教授グループは新型コロナの感染の広がり方を知ったのである。それでは感染させた人に特徴があるかというと特徴はなかった。重病であったり感染していることを自覚しない軽い感染者も同じように感染させた。動きが活発であるかそうでないかにも関係がなかった。感染に関係するのは人ではなく空間であることを見つけたのが押谷教授グループであった。空間とはライブハウスのような密着する集団の空間である。だから、密室空間を見つけて潰していって感染する空間をなくせば感染を防ぐことができる。それがクラスター潰しである。厚労省のクラスター対策班とは文字通り、新コロナ感染のクラスターを見つけて潰すのを目的とした班であるのだ。

日本の死者が少ないのはクラスター対策班によってクラスター潰しが行われたからだ。クラスター潰しは日本国全体に展開している。クラスター潰しを参考にしない感染予測は高めになってしまう。徐准教授の予測が高くなったのはクラスター潰しを知らないからである。徐准教授の予測を日本に紹介したのがジャーナリストの野嶋剛氏である。日本人でありながらクラスター潰しの効果を知らないのである。

多くのジャーナリストが海外のように厳しい都市封鎖をしていない日本は感染者が倍増していってニューヨークのようになると予測している。彼らは2月26日に結成されたクラスター対策班の活動を軽視したり無視したりしている。そして、安倍首相の非常事態宣言が遅い、甘いと批判し、日本の新型コロナ感染者が急激に増加すると予測するのだ。彼らの間違いは5月に明らかになる。

日本は絶対にニューヨーク州のような感染爆発は起こらない。ヨーロッパで新コロナ対策が成功していると認められているドイツよりも感染者、死者は非常に少ない結果が待っている。

2020年04月27日

PCR検査主義の敗北宣言

WHOが最初に世界に発信したのはPCR検査を徹底的にやって感染者を見つけて隔離することだった。WHOのブレーンとして感染に関する専門学者が居て、その主流がPCR検査主義である。ヨーロッパや米国はPCR検査を始めたが新型コロナウイルスの感染は予想以上に拡大した。PCR検査による隔離では感染拡大を防ぐことができないので都市封鎖のロックダウンをやったのである。しかし、ロックダウンをしても感染は拡大した。

PCR検査の最大の欠点は検査時間が長いことと、専門家でないとできなくて検査技師が少ないために多くの検査ができないことである。1000万件検査した国はない。やっと200万件検査をした国が米国だけである。新型コロナ感染拡大にPCR検査が追い付いていないのが実情である。無差別のPCR検査をして感染者を隔離するというやり方では新型コロナ感染を封じることはできない。PCR検査主義は破産状態である。敗北したのである。であってもPCR検査を主張する専門家は敗北を認めない。あくまでもPCR検査を主張するのである。

安倍首相が緊急事態宣言をした時、「甘い」「遅い」の批判がマスメディアで溢れ。米国やヨーロッパの医療専門家から米国やイタリア、イギリスの現実が2週間後の日本であるとの指摘が日本の報道で紹介された。すでに2週間以上が過ぎた。感染爆発は起こっていない。それどころか感染者、死者の増え方も非常に少ない。感染爆発の逆である。

日本が感染爆発をすると予想した専門家たちは予想が外れたことを日本に謝罪するべきである。しかし彼らは謝罪しない。謝罪すれば予想が外れた彼らの理論の間違いを認めることになる。自分の理論の間違いを認めることは専門家にできるはずがない。

イギリスのキングス・カレッジ・ロンドン大学の教授で公衆衛生の第一人者である渋谷健司氏は感染者数が急増していないのは、検査数の抑制が原因であるとし、そのために自宅待機している人が急変してなくなった。それを防ぐにも、国民全員にPCR検査を実施すべきだと今も主張している。

日本の新型コロナ感染者は1万3229人、死者

360人である。イギリスの感染者は14万8000人であり 死者はなんと2万0319人である。死者が日本の54倍も出たイギリスを参考にして日本にアドハイスするのが渋谷氏である。

日本とイギリスの新型コロナ対策の違いは、日本はクラスター潰し、イギリスはPCR検査とロックダウンである。その結果イギリスは日本の54倍の死者が出た。新型コロナ封じにはPCR検査よりもクラスター潰しが優れていることは歴然としている。しかし、この事実を認めることは渋谷氏のプライドが許さない。

初期の段階では急速な感染拡大を防ぐことができたとクラスター対策の効果を認めるが、「死者が少ないからコロナ対策は成功していると考える段階はすでに終わった」と述べ、この先クラスター対策でウイルスを封じ込めることはほぼ不可能だと述べて国民全体のPCR検査を主張するのである。

初期のクラスター対策の効果を認めるということはイギリスは初期の段階でクラスター対策をしなかったから日本の54倍も死者が出たということ。そのことを渋谷氏は認めたということになる。

イギリスで公衆衛生の専門家30名以上が「1週間に1度、国民全員に定期的にPCR検査を行え」と提案したことに、マット・ハンコック保健相が、「今後1年間で最大30万人を対象とした大規模なPCR検査を実施する」と発表したことを渋谷氏は自賛しているが、I年間でたった30万人である。人口6665万の内のたった0、45%である。それはPCR検査を全国民に実施するのは日本でもイギリスでも不可能であるていう証拠にしかならない。渋谷氏は不可能であることをを認めない。認めないでなんとかなると主張するだけである。「いまの状況を一刻も早く鎮静化するために、抜本的な感染対策を行う必要があると思います。日本にはそれができる力があると信じています」と新型コロナ封じの提案をしないで「信じています」で締めくくるのである。渋谷氏は科学者を自負する宗教家である。

PCR検査を新型コロナ封じではなく統計に利用する理論を米カリフォルニア大学アーバイン校准教授の渋谷氏と同じ公衆衛生学を専門とするアンドリュー・ノイマー氏が発表した。ノイマー氏は新型コロナという「略奪者」を倒すには、時間をかけて「集団免疫」を獲得するしかないと説明する。
ノイマー氏は感染拡大を食い止めるには、1人の感染者が生み出す二次感染者を1人以下にしなければならない。そのためには人口の50～70%が免疫を獲得する必要があると説明する。ノイマー氏は感染を封じるのではなく感染を広げるというのである。急激に感染させれば医療崩壊などや重傷者が増えるから、ロックダウンと組み合わせながら1～3年をかけて集団免疫を獲得するという。感染検査は国民の感染率を調査するためにやる。PCR検査主義の行きつく先は新型コロナ感染を蔓延させることである。PCR検査主義の敗北宣言に等しい。

新型コロナ感染封じにPCR検査・ロックダウンより絶大な効果があるクラスター潰しであるが、クラスター潰しにも弱点がある。感染経路が不明の場合はクラスターを見つけることができないことだ。感染経路が分からなければお手上げである。人口が密集し、サービス業の多い都市や行動範囲の広い若者は感染経路が分からないケースが多い。東京都と大阪府のような大都市では感染経路が分からないケースが増える。東京、大阪の感染者が増え、感染経路が分からない感染者が増えていったから緊急非常事態宣言をしたのである。安倍首相が緊急非常事態宣言をやったのはクラスター対策班が厚労省に要求したからである。新型コロナ対策は感染医療専門家が対策を立てるものであり政治家ができるものではない。4月7日に安倍首相が緊急事態宣言をしたのはクラスター対策班の要求があったからである。クラスター潰しだけでは感染経路不明の多い都市部の感染を防ぐことはできないので、クラスター潰しを補佐するために打ち出したのが緊急事態宣言であった。

ところが世界は勘違いして日本の新型コロナ対策は緊急事態宣言が最初だと思ったのである。だから、すでに厳しい都市封鎖をした米国やヨッーロッパの状態が二週間後の日本であるとほとんどの医療専門家が断言したのである。彼らには2月26日から始まったクラスター対策班によるクラスター潰しが見えなかったのである。無理もない。日本のマスメディアがクラスター潰しの効果を世界に発信しなかったのだから。日本のマスメディアがクラスター潰しの効果を世界に発信していれば新型コロナ感染者は半減していた可能性は高い。

新コロナ
不安うるおす
グラジオラス

首里城
なぜ火災に
なぜ大火災に

首里城を大火災にしたのは県である　それが重要な問題だ

沖縄県警は首里城正殿などが全焼した火災について、「火災原因が特定できなかった」と発表した。そして、防犯カメラ映像の精査、関係者の事情聴取などの捜査結果から現時点で放火などの犯罪に該当する事実も見当たらないので放火の可能性はないとした。

県警は火元とみられる正殿北東側から配線などの資料を収集。科学捜査研究所で調べたが激しく燃えた状態で、原因特定に至らなかったという。

火事は起こったのである。放火の可能性がないなら、火事になる原因は延長コードのショートしか考えられない。市消防によると、床下配線には1カ所の熔融痕が確認された。火災前は3～4メートルの1本のコードだったとみられる延長コードは、焼けて30か所が溶解し数センチごとの細切れの状態で見つかったという。注目しなければならないのは延長コードのコンセントにつながる分電盤のブレーカーは落ちないで火事の間もずっと通電状態であったことである。

延長コードが細切れに切れていたということはコンセントから一番遠いLEDの方からショートしたということである。もし、コンセントに近い箇所がショートして切れたらLEDの方には通電しないからショートして切れることはない。LED側のショートした箇所が火元に一番近いことになる。その場所に火元になるようなものがあったらそれが火元ということになるが、なかったら延長コードのショートが火元ということになる。延長コードのショート以外に火事になる原因はないのだから。

県警は出火原因の特定はできなかったと発表した。延長コードのショート以外に火災の原因が考えられるかどうかを新聞記者は質問しなかったのだろうか。もし、延長コードのショート以外に出火原因が考えられなければ延長コードのショートが出火原因であると推察することができる。

問題は出火原因だけではない。正殿や北殿、南殿など主要6棟が全焼し、2棟が焼損という大火災になったことが大きな問題である。

美ら島財団によると、火災当時、警備と監視員の計3人のうち、仮眠中だった2人は異常を知らせる人感センサーが鳴った直後も仮眠をしていた。警備会社との業務計画などでは1人が巡回するときは別の1人がモニター監視をすることになっていた。正しく運用できていなかったという問題はあるが、警備の一人は正殿に行き火事であることを確認し、消防署に連絡している。そして、消火器で初期消火にあたった。警備員は放水銃を使って消火しようとしたが熱のため放水銃に近づけなかった。その間に消防隊がやってきた。消防隊がやって来た時は正殿の一部が燃えている状態だったと思われる。

それから急激に火事が広がったのだ。広がった第一の原因は延長コードのショートである。銅の溶融度は1000度以上である。木材の発火点は400～470度しかない。木材の上で30か所も1000度以上で銅が溶融したのである。正殿はあっという間に火が広がっただろう。

火事が広がった原因は放水銃の一部か使えなかったこともあるが、消防車が首里城内に入ることができなくて消火活動ができなかったことも延焼を防ぐことができなかった原因のひとつである。そして、県が自衛隊ヘリを要請しなかったのも延焼拡大の原因だ。

1、延長コードが30か所も1500度で溶融した。
2、放水銃の一部が使えなかった。
3、消防車が首里城内に入れず消火活動ができなかった。
4、県は自衛隊ヘリを要請しなかった。

近いうちに消防署の発表があるという。消防署は火事の原因を明らかにしてほしいが警察と同じように火元不明と発表する可能性がある。その時に延長コード以外に考えられる火元があるかを質問してほしい。しかし、タイムスと新報はしないだろうな。

もし、延長コードが首里城大火災を引き起こした原因ということがばれれば県民のデニー知事県政への不信感が高まるだろう。6月には県議会選がある。県議会選が不利になってしまう。県政は消防署に圧力をかけて延長コードと火災の関係をうやむやにさせるだろう。

消防署の発表はいつになるだろう。どのような内容の発表になるか。注目しよう。

那覇消防局は首里城火災の犯人は県であることを隠蔽した

　那覇市消防局が発表した正殿一階の配電図である。溶融度と示しているのは、銅線が１０００度以上になって溶けたということである。同船は３０箇所も溶けて切れていた。銅線が解ける原因はショートしか考えられない。－＋の銅線が接触してショートし高温になりビニールが解けて３０箇所で銅線が接触して一気に溶融度に達して溶けて切れたのである。

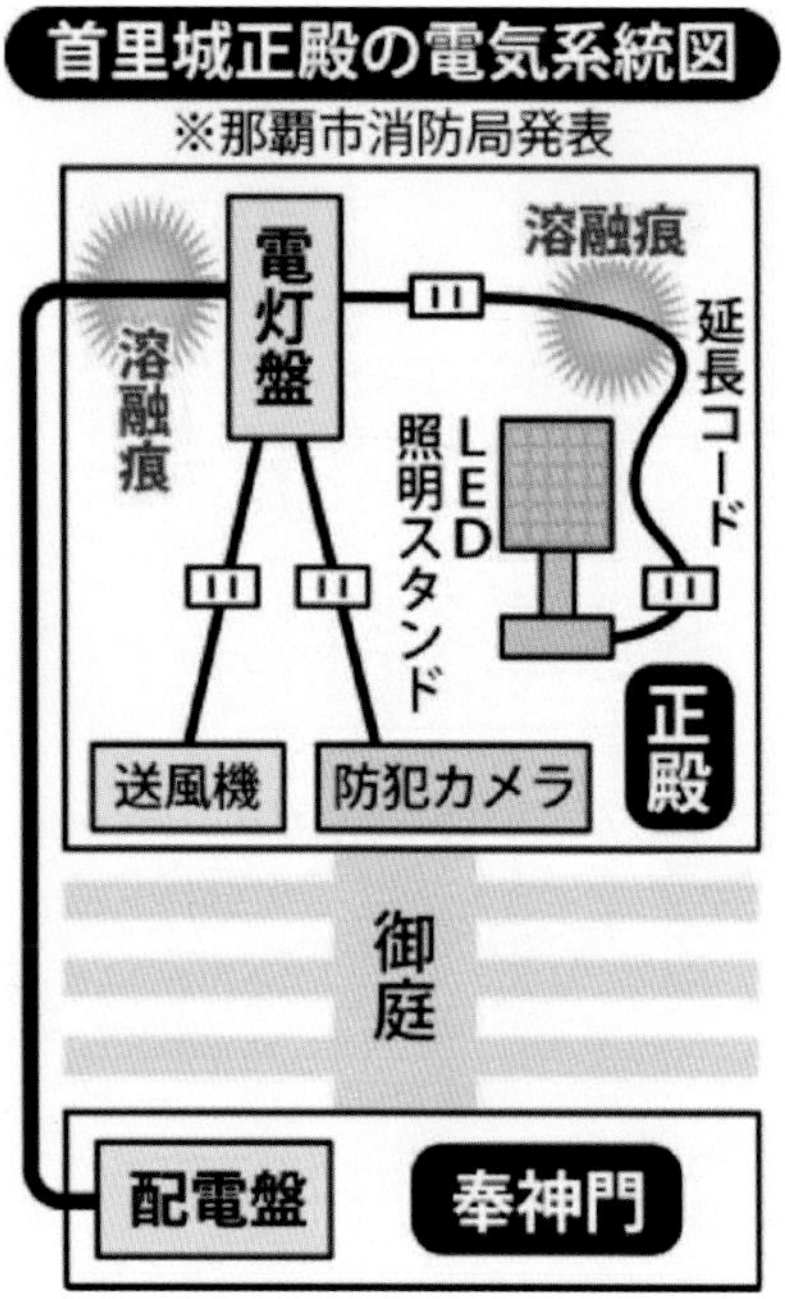

ビニールが解けるほどに温度が上がるには延長コードのどこかでショートしたことになる。図で考えられるのはＬＥＤ照明スタンドである。ＬＥＤ照明がなんらかの原因でショートしたとすれば延長コードが３０箇所も切断したことが納得できる。

　２０１９年４月１４日の時事ドットコムに「ＬＥＤ照明事故、後絶たず　発煙・火災も」が掲載された。

　消費者庁によると、従来の白熱電球や蛍光灯用の取り付け器具のうち、明るさを調整できるタイプなどは、ＬＥＤ照明の取り付けは可能でも、危険が生じる場合がある。内部設計が異なるため、明かりがついても、使ううちに発煙や発火の恐れがあるという。

　同庁によると、ＬＥＤ照明の事故は０９年９月から今年３月１０日までの約１０年間に３２８件あり、うち２３件で火災が発生した。

　同庁消費者安全課は「ＬＥＤ電球などのパッケージには、どのタイプの照明器具に取り付け可能か表示してある。既に取り付けている場合でも、正しい組み合わせか不安な場合は販売店などに確認してほしい」と訴えている。

　　時事ドットコムトップ

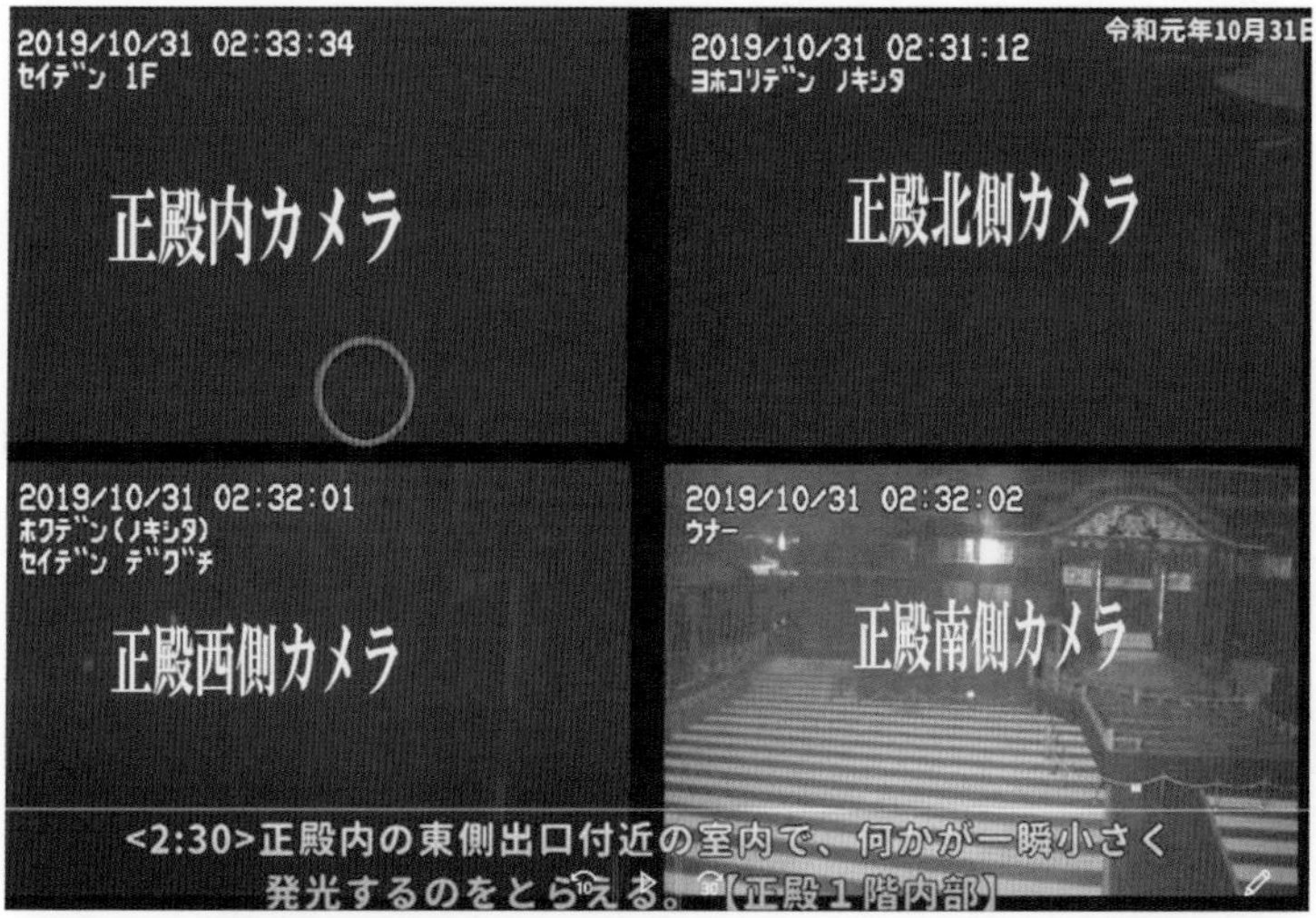

２時３０分（
正殿室内でなにかが一瞬発行する。赤丸がそれである。ＬＥＤスタントのショート以外に考えられない。

２時４６分
１０００度以上の銅線の発光が２１秒以上続く。板は４００度で発火する。発光が火災の原因の可能性は高い。なぜか室内カメラは発光前から映らない。

２時４９分
光は消える。銅線が溶融度に達したのは火災の前である。

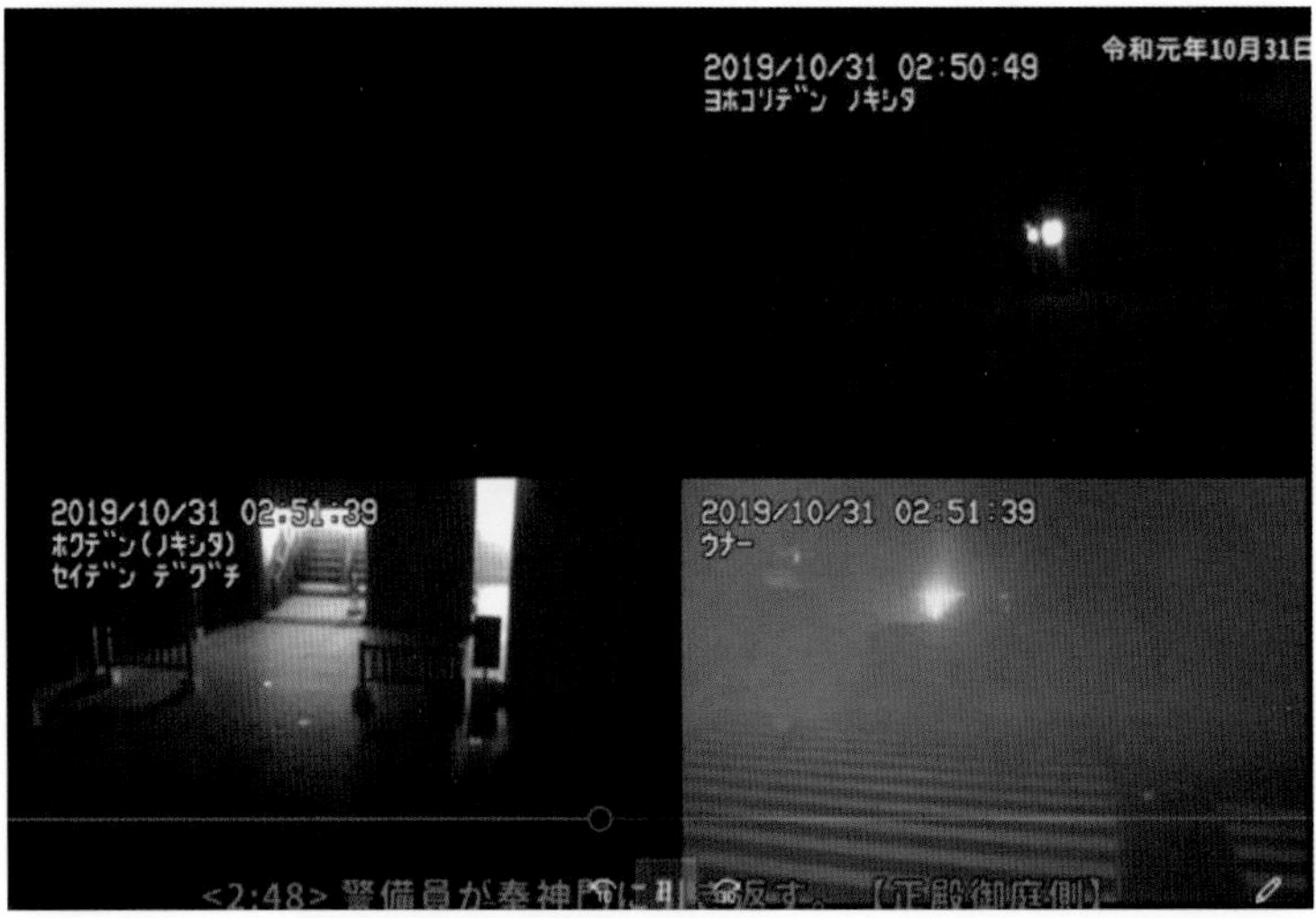

２時５０分
発光の１４分後くらいに火災が写る。外から見えるということは壁が燃えて崩れたということ。室内の火災はすでに起こっていた。

首里城正殿など8棟が焼失した火災で、那覇市消防局は6日、会見を開き、「出火原因は特定できなかった」と発表した。目撃者や防犯カメラの情報から正殿北側を火元とみて焼け跡から痕跡を探したが、原因特定につながる有力な物証が見つからなかったというのである。首里城火災の原因は不明であるということだ。考えられないことである。

延長コードが溶解した原因は延長コードのどこかでショートしたからである。そして、ショートしてもブレーカーが落ちないで通電していたからである。ブレーカーが落ちれば電流は遮断されて、延長コードが溶解することはなかった。ブレーカーの設定ミスで延長コードが溶解した。配線工事の初歩的ミスである。ショートした時には確実にブレーカーが落ちるようにするのは電気工事の基礎である。ショートしてもブレーカーが落ちなければ火災の原因になるからだ。

初歩的なミスをしたのならLED照明スタンドの接続でもミスした可能性がある。那覇市消防局は電気工事専門家に調査を依頼しただろうか。延長コードが融解した原因を徹底して調査するべきである。しかし、その気は県にも那覇消防署にもないようだ。

2時30分に小さな光があり、16分後の2時46分に大きな発光があり、その4分後の2時50分に火災がカメラに写ったのである。小さな光と大きな発光が火事発生に関係があるとみるべきである。延長コードとLED照明以外は板だけであるから正殿内に小さな光を発する可能性があるのはLED照明だけだ。小さな光はLED照明のショート以外に考えられない。そして、延長コードが溶融して発光した原因はLEDのショート以外には考えられない。

那覇市消防局は火災原因は不明であると結論づけたが、LED照明のショートと1000度以上に達した延長コードの発光以外に考えられる火災原因はない。発光が火事の原因にならないのはおかしい。

火災は現実に起こったのである。であれば火災原因は必ずある。那覇市消防局は正殿火災原因になりそうなものを列挙するべきである。火災原因が不明であっても火災原因の候補を挙げることはできるはずである。

那覇市消防局は火災の原因をLED照明と延長コードの発光以外にあげることができるか。できるはずがない。床も壁も板だけである。板だけで火災になることはあり得ないからだ。

2時57分

外のカメラにも火災が映っている。室内はそれ以上に激しい火災だろう。

3時3分

火災はどんどん広がっていく。

3時58分
崩壊寸前の正殿。

那覇市消防局は火災の約１週間後に首里城火災の原因について、「正殿の電気系統が濃厚」との見解を示していた。延長コードの電源プラグの周囲にほこりや水分が付着して発火する「トラッキング現象」や、何らかの原因による断線で出火した可能性があるとの予測を発表した。でもその発表には裏がある。火災原因から、消費者庁が発火の恐れがあるから注意するように発表したＬＥＤ照明を出火の可能性から外し、延長コードの溶融も出火原因から除外したことだ。火災原因は不明と出す目的の発表だった。

那覇市消防局は正殿北側で見つかった配線などの金属類約５１キロを消防庁消防研究センターで調べさせたが出火原因の判定には至らなかったという。出火の原因ではないのを調べさせたのだから当然である。那覇市消防局が調べさせたのは延長コードがショートして断線した原因である。出火の原因ではないのを出火の原因であるようにしたのが那覇市消防局である。延長コードを溶融させたのが出火の原因ではない。床や壁の板を燃やしたのが出火の原因である。延長コードは２１秒以上も１０００度以上になって発光し断線した。火災の原因は発光した延長コードのほうが可能性が高い。しかし、那覇市消防局は発光を出火の原因としないのである。「トラッキング現象」がなかったとすればＬＥＤ照明スタントがショートした可能性が高い。

カメラの位置。発光も出火も室内カメラに映っていたはずである。市消防局は放映をしていない。

監視カメラ４台の位置

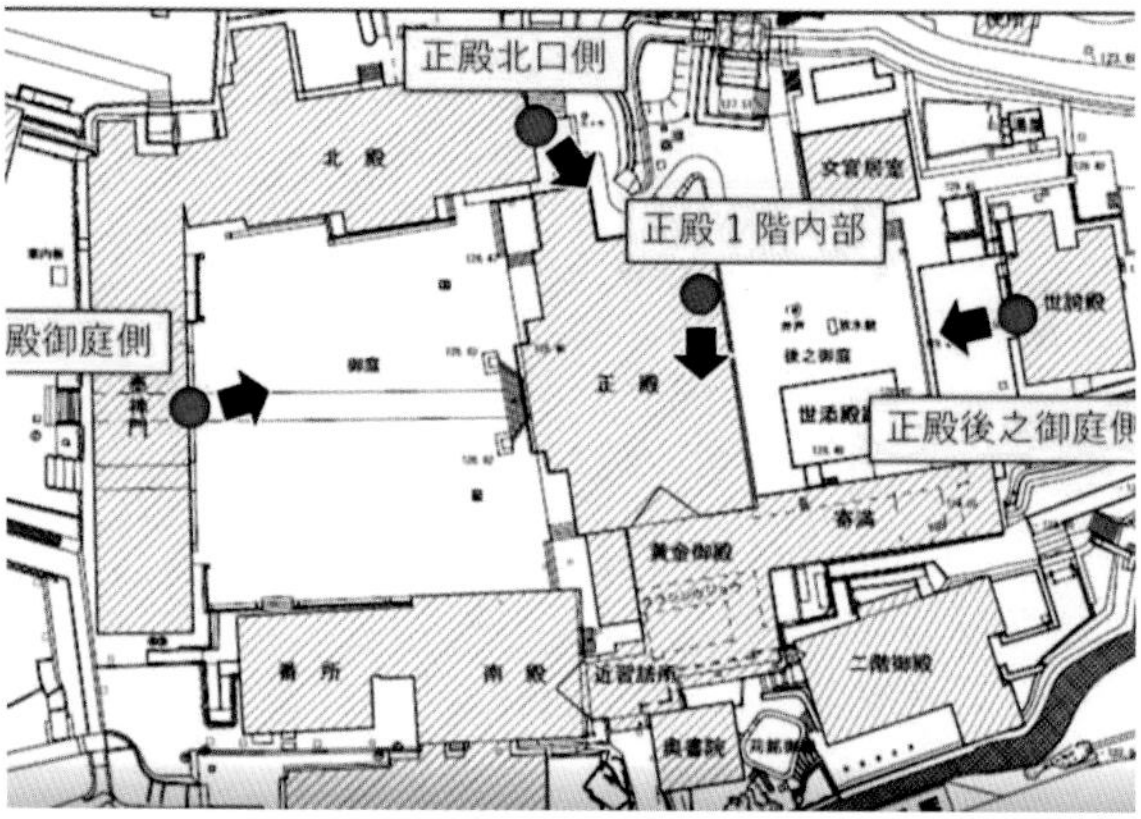

室内カメラには正殿の東側に設置していたＬＥＤ照明スタントのショートや出火する様子が映っていたはずである。ところが４台のカメラの内、室内カメラの映像はすぐに消えている。おかしい。

北側カメラ２時３９分の時、室内カメラは２時４２分となっているが、室内カメラの映像は４２分で消える。そして、北側のカメラに２時４５分２７秒に発光が映り、発光は２時４５分４８秒までの２１秒も続くのである。１０００度以上の発行が２１秒も続けば正殿の板の壁が燃えないはずはない。室内カメラが作動していれば火災の様子が映っているはずだ。それなのに那覇市消防局が発表した４つのカメラの中で室内カメラだけは発光する前に消えている。火災もなにも起こっていないのにカメラ撮影が止まることはあり得ない。那覇市消防局が発光から火災になるまでの室内カメラの放映を止めたとしか考えられない。

ＬＥＤ照明は県が２月に首里城を管理するようになってから設置した。火災の原因がＬＥＤ照明の設置にあるなら県が火災の犯人になってしまう。那覇市消防局は火災の原因を突き止めるよりも県を火災の犯人にしないことを優先したと思われる。県も那覇市も左翼政権である。左翼政権が県民の支持を維持するためには絶対に県を首里火災の犯人にしてはならない。左翼政権の圧力に那覇市消防局は従っと考えてもおかしくない。

首里城火災が起きた時にデニー知事の行動に「なにか変だ」と思った。火災のあった10月31日に韓国から帰国したデニー知事がその翌日に東京に行き、内閣府で衛藤晟一沖縄担当相に首里城の早期再建へ協力を求めたことである。あまりにも早すぎる首里城再建への動きである。普通なら首里城火災の被害状況、火災の原因などの情報を集めるのを優先するはずである。ところがデニー知事はそんなことはしないで首里城再建のために東京に行ったのである。デニー知事の行動に合わせるように県と那覇市は首里城再建の寄付金集めに走った。「なにか裏がある」と直感した。

国から県に管理が移ったのは2月であった。管理してから一年も経たないのに首里城大火災になった。火災の原因をつくったのは県である。県は足元が暗いという理由で延長コードでLED照明スタンドを設置した。正殿内に火災を起こす可能性があるのは県が設置したLED照明と延長コード以外にはない。県民は首里城火災の原因に関心が集まるだろう。火災の原因を突き詰めていけば延長コードの1000度以上の溶解が原因ではないかと思うようになる。そして、延長コードの溶解の原因がLED照明スタンドのショートではないかと思うようになる。県としては県民が火災の原因に関心が向くことを避けなくてはならなかった。県は火災原因への関心を反らすために「首里城再建」「再建寄付金」を打ち出したのである。多くの企業や人が次々と寄付をするようになり、首里城再建と寄付に注目が集まった。火災原因に県民の関心が低くなった時に那覇市消防局の火災原因不明の発表である。

カメラの記録を冷静に分析すれば首里城火災の原因は簡単に分かるのに那覇市消防局が火災原因不明と発表すれば原因不明になるのである。首里城火災で自衛隊のヘリ散水を要請しなかったのは100メートルの火災旋風があったからだという県の嘘を暴くことができなかった自民党県連だから那覇市防衛局の嘘を暴くこともできないだろう。嘘を暴けない自民党県連も同罪である。こんなでたらめなことがまかり通っているのが沖縄の政治である。

那覇消防局は正殿室内カメラ映像をすべて公開せよ

正殿の延長コードがショートして発光する前に正殿室内カメラの放映が消えた。

左側の室内カメラには日時が写っている。

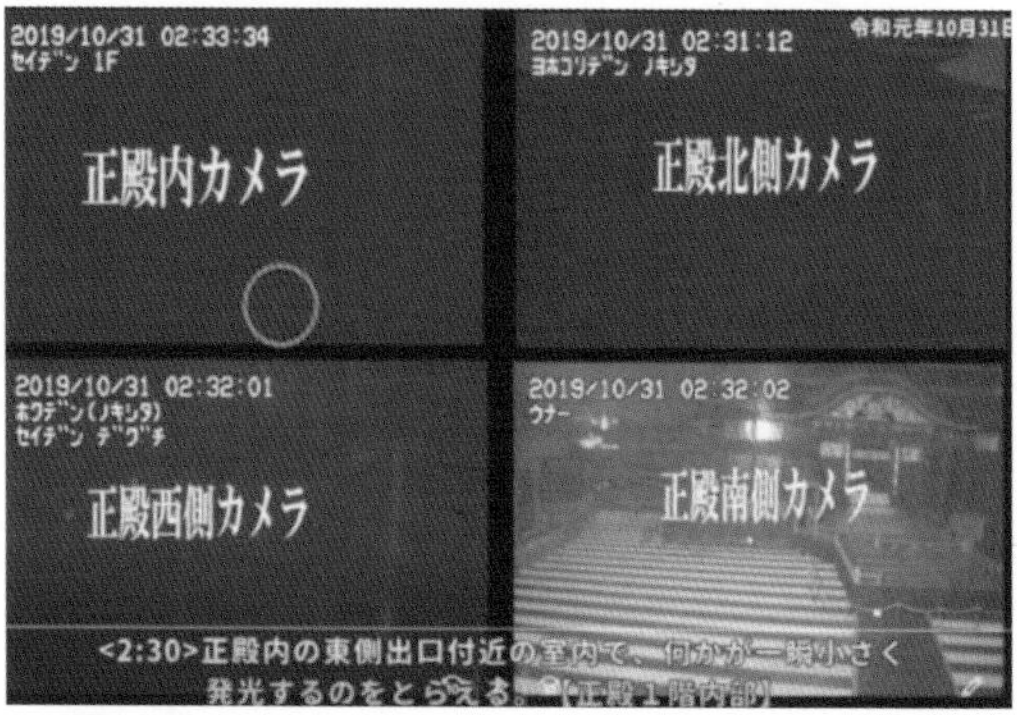

室内カメラだけの日時が消える。放映が止まったということ。

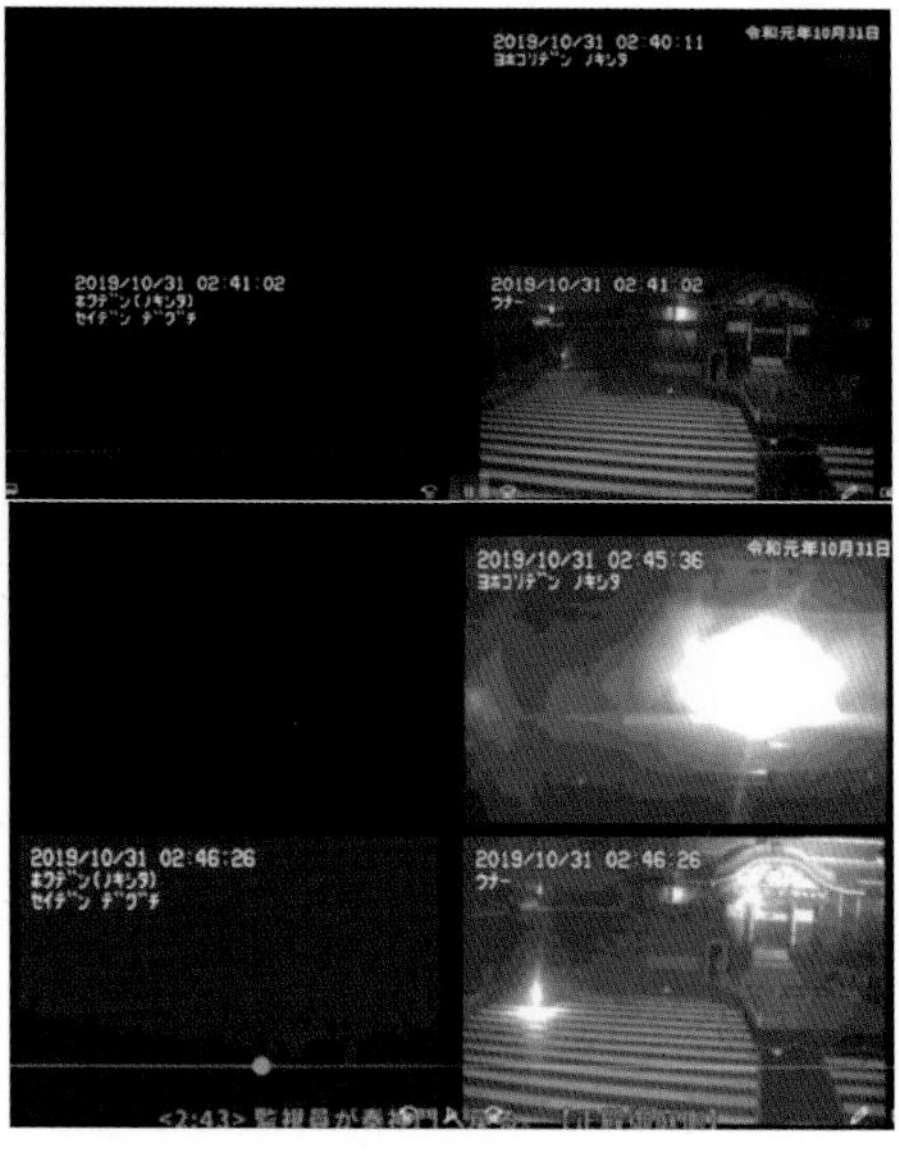

室内カメラが消えた後に正殿内が発光する。室内カメラには発行するまでの様子が映っていたはずである。なにも起こっていないのに室内カメラが故障することはあり得ない。室内カメラは作動していたはずである。放映が消えたのは那覇市消防局が放映を止めたからである。

室内カメラには正殿室内が火災になるまでの様子が映っていたはずである。火災の証拠になる映像を那覇市消防局は放映しなかったのだ。

那覇市消防局は室内カメラの映像を公開し、正殿火災の真実を明らかにするべきである。

新コロナ感染がネット情報のほとんどであり、韓国の慰安婦・徴用工問題や日本製品不買運動の情報が少ないし、香港も民主化運動とそれへの弾圧の様子を伝える情報も少ない。

香港は民主主義運動
韓国は左翼運動

新コロナウイルス感染が世界・アジアに蔓延し、アジアの国々の政治は感染拡大を防ぐ対策に追われ、韓国では文大統領側の左翼側が選挙で圧勝したというニュースと香港政府が民主化運動家を逮捕したというニュースはあったが、それ以外のニュースはない。

韓国で左翼が圧勝したとしても文政府が反日政策を今以上に強化していくことはない。強化していっても安倍政権は韓国が有利になるような妥協はしない。むしろ反撃するだろう。安倍政権は、徴用工原告団が日本企業の資産を現金化すれば韓国に経済制裁をすると断言している。新型コロナで経済危機に直面しているのに日本が経済制裁をすれば韓国は経済破綻危機に陥るだろう。文政権は反日政策の限界にきている。

中学生から老人まで拡大している香港の民主化運動がつぶされることはない。

新コロナウイルス感染で中国経済はマイナス6%以上落ちた。経済回復に失敗すれば中国国民の政府への怒りが爆発するだろう。二カ月も隔離に我慢したのは我慢した後には元のように生活が豊かになることを信じていたからだ。豊かにならなければ国民の怒りは爆発する。反政府運動＝民主化運動が起こるかもしれない。香港の民主化運動が中国国内に拡大するかもしれない。

世界経済戦争に入った日本TPP・米国FTA・中国一帯一路

米国・FTA、中国・一帯一路、日本・TPPの三つ巴がどのように展開していくか。その行方を注目する今年であったが、新型コロナウイルスが世界に広まり経済は悪化した。新型コロナの登場によって経済の展開は見えなくなった。

中国は新型コロナの封鎖に成功した。これから経済復興を目指すのだが、経済成長率はマイナス6・8%である。復興は困難である。それに中国が復興したとしても経済はグローバルである。世界の国々が経済復興しないと中国だけで復興することは難しい。特に中国は貿易黒字によって経済発展する体質であるから米国・ヨーロッパなど世界の国々が経済復興しない限り中国の経済復興もない。それに中国は新型コロナを世界に感染させた国として信用を失っている。中国から多くの外資が撤退する可能性も高い。中国の一帯一路の拡大は困難になるだろう。

米国、日本とTPP参加国の経済復興も今は予測できない。経済復興に1年以上はかかるだろう。

米国・FTA、中国・一帯一路、日本・TPPがどのようになっていくか今は分からない。ただTPPは参加国が増えていき米国FTA、中国一帯一路より勢力が拡大していくのは確実である。

産経新聞社とＦＮＮ（フジニュースネットワーク）が１１、１２両日に実施した合同世論調査で、野党第一党の立憲民主党の支持率が５・９％から３・７％に急落し、一方、日本維新の会は２・９％から５・２％へ急伸した。維新の会が支持率で野党トップの座に躍り出た。毎日の世論調査でも立憲民主５％、維新の会6％となっている。維新の会が野党トップの支持率になったのだ。

新型コロナウイルス感染症の対応で吉村大阪府知事は新型コロナへの対策を途切れなく打ち出してきた。休業支援金を約束し、感染者の立ち寄り先を独自に詳細に公表。感染者数が急増するという非公表の試算も公開し、独自判断で兵庫県との往来自粛を呼びかけた。緊急事態宣言が出る前から、週末の外出自粛も府民に求めた。市民から「眠れ」と心配するほどに働いたことが全国民にも支持されたのである。橋下元知事も鋭い政府批判をして「首相になれ」と市民から支持されている。新コロナへの対応で維新の会は支持を拡大した。

二大政党を目指して

立憲、国民、共産党の連立どころか立憲、国民の連立もできないのが野党だ。野党が政権党になることはできない。特に左翼系の立憲と共産党が政権を握るのは不可能である。左翼には国民生活を豊かにするための経済政策が欠落している。それが政権党になれない決定的な欠点である。

三野党は新コロナ対策についても国民が支持する政策を提案してこなかった。安倍政権の政策にケチつけするだけである。しかし、維新の会は新コロナ対策を次々と打ち出していった。新コロナは三野党より維新の会が政治に優れていることを明らかにさせた。支持率が野党トップになったので立憲、国民の中の保守系の議員は維新の会に対する目が変わっただろう。

維新の会は将来確実に政権党なる。

沖縄戦になったのは日本が軍国主義国家だったから

今回は掲載しようと思っていたが新型コロナウイルス問題に時間を奪われて書き上げることができなかった。

5・15犬養毅暗殺事件によって軍部が政権を掌握する。政党政治の方向に進んでいた日本政治が軍部による政治に変わった。政治家は国民を人間として見るが軍部は兵士として見る。兵士が国のために戦い死ぬのは名誉であると軍部は考える。軍国主義国家になった日本の国民は皆んな兵士させられたのである。国民を兵士にする軍国主義は特殊であり、過去に軍国主義と同じような歴史は日本にない。

兵士は捕虜になるより死を選ぶ。決して降伏はしないと強調したのが戦前の軍国主義国家だった。過去の歴史で軍国主義と同じ国家はなかった。極めて特殊な国家であった。戦国時代は戦争をして不利になると降参して相手側に従属したのであって最後の一兵まで戦うことはなかった。最初から死を前提とした神風特攻隊出撃は人間としての尊厳をすべて奪った。敗北は決定的であるのに沖縄戦になっても敗北宣言しなかった。本土決戦で国民の最後の一人まで戦うとしていた軍国主義は人間性が一かけらもない最低の国家だった。

アート
ハイク

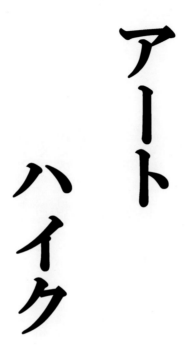

アートハイクは季語にこだわらない

内なる民主主義22で首里城火災で正殿などの消失写真を掲載するのでカラーページにした。カラーページにしたからアートハイクも掲載することにした。アートハイクはカラーでなければ掲載する気にならない。だから表紙はカラーだから裏側の表紙に掲載してきた。本当はページ内に大きく掲載したかったがカラーにすると印刷代が高くなる。だから、掲載しなかった。内なる民主主義22を見て気持ちが変わった。大きさを自由にして初めて表現をした気分になる。だから、これからはページ内に掲載することにした。

俳句ではなくハイクにしたのには理由がある。俳句は季語を入れなければならない。しかし、私は季語を入れなくてもいいと思っている。季語にこだわっていない。だから、俳句をハイクにした。季語にこだわらない理由を説明する。次の短歌を見てほしい。

南島の　草木に出でぬ　四季なれど
触れて匂わん　風は秋なり

高校生の時につくった短歌である。短歌をやろうと思ったことはない。俳句を作っている内にどうしても言いたいことがあり俳句では表現できなかったから短歌にした。

俳句は必ず季語を入れなければならない。しかし、亜熱帯の沖縄と温帯の本土では違う。本土では春夏秋冬がはっきりしているが沖縄では暑い夏と寒い冬はあるが自然風景は同じである。冬でも緑に溢れ、花も咲いている。特に春と秋を俳句で表現するのは沖縄では難しい。

沖縄では秋の象徴である枯れ葉がない。ほとんどが緑である。冬も緑、春も緑だから、沖縄の風景で春夏秋冬を表現するのは困難である。困難であることを訴えるためにこの短歌をつくった。

俳句に興味を持ったのは高校一年生の時である。国語の授業で松尾芭蕉「野ざらし紀行」の、

山路きて何やらゆかしすみれ草

を見た時、すーっと気持ちの中に入りこんできた。初めての感動であった。頭に浮かんだのは松の木の下で寝そべっている様子だった。松の枝葉には和やかな風が吹いている。その状況が「なにやらゆかし」であった。

芭蕉の山路と私の山路は違うが共通するのは細道で上り下りがあり疲れることである。疲れて松の木の下で休憩するのが私であった。松の木には不思議にもさわやかな風が吹いていた。風に松の葉はさあっと快い音を立てていた。それが「ゆかし」であった。芭蕉がすみれ草を見て感じる「ゆかし」と私が松の木の下で感じる「ゆかし」とは違う。「ゆかし」とは、慕わしい・心惹かれる・なつかしいといったような意味であるが、高校生の私にはゆかいのニュアンスが混じっている慕わしさ、なつかしさであった。だから厳密にいえば違うが高校生の私にとって同じ「ゆかし」であった。

すみれ草は春の季語である。私の松の木のイメージは夏である。だから季節も違っている。すみれ草を松風やに入れかえたのが私のイメージする俳句だった。

山路きて　なにやらゆかし　松の風

となる。まあ、すみれ草とは雲泥の差がある俳句になってしまうがすみれ草の俳句を見た時私の情感に響いたのである。それから俳句をつくる気になった。ところが季語を入れるのに苦労した。高校生である。俳句に使える季語を知っているはずがない。そして、風景をみても沖縄は春夏秋冬の四季がはっきりしない。特に秋を示すことができる季語を探すことができなかった。空気だけは春と違っていた。多分春は南風であり、太平洋から吹いてくるので水分を含んでいて湿度が高く。秋は北の大陸から吹いてくるので空気は乾いて湿度は低かったのだろう。春と秋の風は違っていた。

沖縄では季語を入れるのは難しいと言いたくてこの短歌をつくった。それからは俳句に季語を入れるのにこだわらなくなった。季語にこだわらないので楽に俳句づくりができた。

最初は「アート俳句」にしようと思っていたが、俳句は季語を入れるというのが基本である。基本を破っているので「俳句」とするのは気が引ける。だから「アートハイク」にした。「ハイク」にしたのは私の「俳句」へのコンプレックスからである。

死の旅に出た孤高猫

１３年間も一緒に住んでいるが俺をこんな目で見る猫だった。息子の家が火事になり、アパート住まいになったので猫が飼えないということで私は二匹の猫を預かった。

二匹は私になつかないだけでなく、人間になつかない猫だった。郵便配達人の足音が聞こえただけで奥の部屋に逃げたし、お客が来るとずっと奥の部屋に閉じこもった。食事の世話は私がやっているのだから次第に私になつくようになるだろうと思っていたがそうではなかった。なつかなかった。

一年前に外人住宅に引っ越した。新しい家の電気と水道工事をさせたが、猫が飛び出していかないためにはドアと窓を閉めておかなければならない。そうしないと二匹の猫は外に飛び出して二度と戻って来ないだろう。

水道工事屋が来た時、裏口の物置に猫を閉じ込めていたが、その場所も水道工事をしなければならなかった。私は水道工事屋が外にいる間に二匹を奥の部屋に移動させることにした。ドアを開け、二匹の猫を広間に出そうとした時に玄関のドアを開き、水道工事屋が入ろうとした。

「ドアを閉めて」

と叫んだが、遅かった。灰色の猫があっという間にドアから出ていった。写真の猫は急いで捕まえた。出ていった猫は二度と戻って来なかった。

　一カ月を過ぎてから、窓を少し開け猫が出入りできるようにした。最初は出ていかなかったが、数週間後には夜は外に出ていくようになった。年寄りになった性なのだろうか、私に近寄ってきて甘えるようになった。


　私と猫の日々が続いたが、ある日から猫の様子がおかしくなった。食べる餌の量が少なくなったし、邪悪な霊に向かって叫んでいるような鳴き声をするようになった。寝る場所は物置の隅であったり靴箱の上であったりと今まで寝ていた場所とは違ってきた。

　精神異常になったような猫の異常な行動に戸惑った。病気なのだろうかと思ったが動きが鈍くなっていることはなかったし蹲ることもなかった。
・・・死への準備をしているのか・・・
と私の脳裏に浮かんだ。

　猫が帰らなかった。今まで一度もなかったことである。
・・・死に場所を求めて家を出ていった・・・
そう思った。猫は家の中で死なないで、死ぬときは家を出ていくということは昔から聞いている。

　ネットで調べると、

「「死に場所を求めて姿を消すのではなく、あくまで回復のために身を隠すだけ。むしろ猫は自分の死期を悟ると、飼い主にいつも以上に甘えたり、最後の力を振り絞って元気な姿を見せるなどの行動をとることが多いんです」

と、専門医は説明している。専門医の説明では納得できなかった。

　猫の様子を見ると私に甘えようとはしないでむしろ私を無視するような態度であった。やはり自分の死期を本能で感じてあのような行動をし、そして、死に場所を求めて家を出ていったのだろう。

　猫は帰ってこない。人間嫌いなあの猫が他の家に住むようになったとは考えられない。

　猫は死ぬ時は家を出ていくというのは昔から聞いた話だ。やはり昔からの話は本当だった。

この家は嘉手納町の新町通りにある。この家はビリヤード遊技場だった。５０年以上も前のことである。あの頃の沖縄は木造の建物が多く、コンクリートの建物は民間にはなかった。この家の尾根はセメン瓦という戦後の沖縄独特の瓦だ。赤瓦は高かった。セメントで作った安い瓦を造って売り出した。セメント瓦はかやぶきやトタンより丈夫であった。この家はビリヤードのゲーム遊技場として造ったから、あの頃では新しいつくりの建物だった。窓は板でなくガラスである。夜はこの遊技場から蛍光灯の明かりがきらめいていた。

高校生の時、同じ部落に住んでいる実さんがビリヤードでアメリカ人に連戦連勝しているという噂が広まった。ビリヤードと言えばポール・ニューマン主演のハスラーという映画が有名であった。ハスラーという映画は5年前に上映したので映画は見ていないが、5年たっても少年雑誌によく掲載されていたのでビリヤードがなにか凄いゲームであるように思っていた。ビリヤードで自分の部落の人が本場のアメリカ人に連戦連勝しているというのは気持ちいいものである。

スマートで目が鋭いかっこいいポール・ニューマンのハスラーの写真を見て私はポール・ニューマンのファンになった。スティング、動く標的、暴力脱獄、ハスラー2などを見た。ロバート・レッドフォードと共演した「明日に向かって撃て」は最高の映画だった。

実さんとアメリカ人のビリヤード勝負を見るために友人とビリヤード遊戯場に行った。

写真のビリヤード遊技場に入ると5、6人のアメリカ人が居た。沖縄の人間は実さんだけだった。店内は緊張した空気に包まれていた。実さんは入り口に近い台で白人とビリヤードをやっていた。隣の台では白人と黒人がビリヤードをしていた。二人は実さんのビリヤードが気になるらしく何度も見ていた。

実さんが勝った。実さんは台の上にある2枚の1ドル紙幣を1枚取ってポケットに入れた。すると別の白人が台に1ドル紙幣を置いて、実さんとビリヤードを始めた。

アメリカ人は二十歳前後の若者たちだった。実さんが連戦連勝しているのは事実であった。相手が若い連中で下手くそだったせいもあるだろう。みんな真剣に実さんと闘い、負けるとストレートに悔しがっていた。この遊技場に入ったのはその日の一回きりであった。

沖縄問題を根底から問う、衝撃の書！

沖縄に内なる民主主義はあるか

又吉康隆

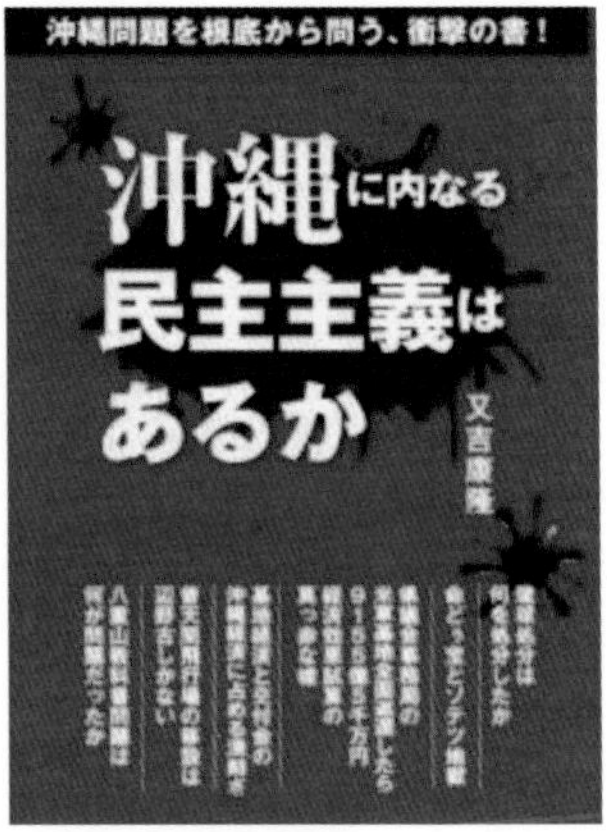

沖縄に内なる民主主義はあるか

1500円（税抜き）

真実
辺野古
辺野古 真実
辺野古 真実
辺野古 真実
辺野古 真実
辺野古 真実

捻じ曲げられた辺野古の真実

又吉康隆

捻じ曲げられた辺野古の真実

1530円（税抜き）

彼女は慰安婦ではない　違法少女売春婦だ

少女慰安婦像は韓国の恥である

又吉康隆

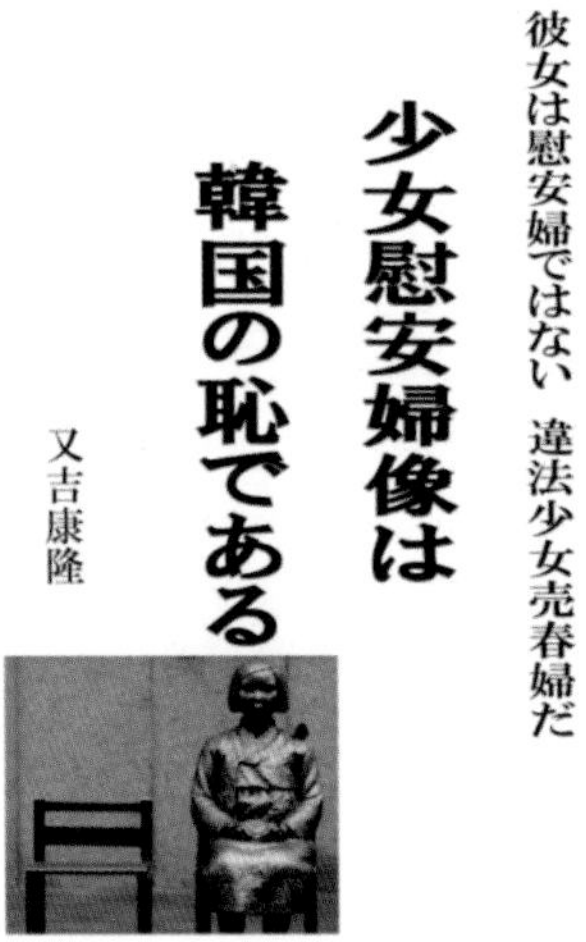

少女慰安婦像は韓国の恥である

1300円（税抜き）

著作　又吉康隆

違法行為を繰り返す沖縄革新に未来はあるか

1300円（税抜き）

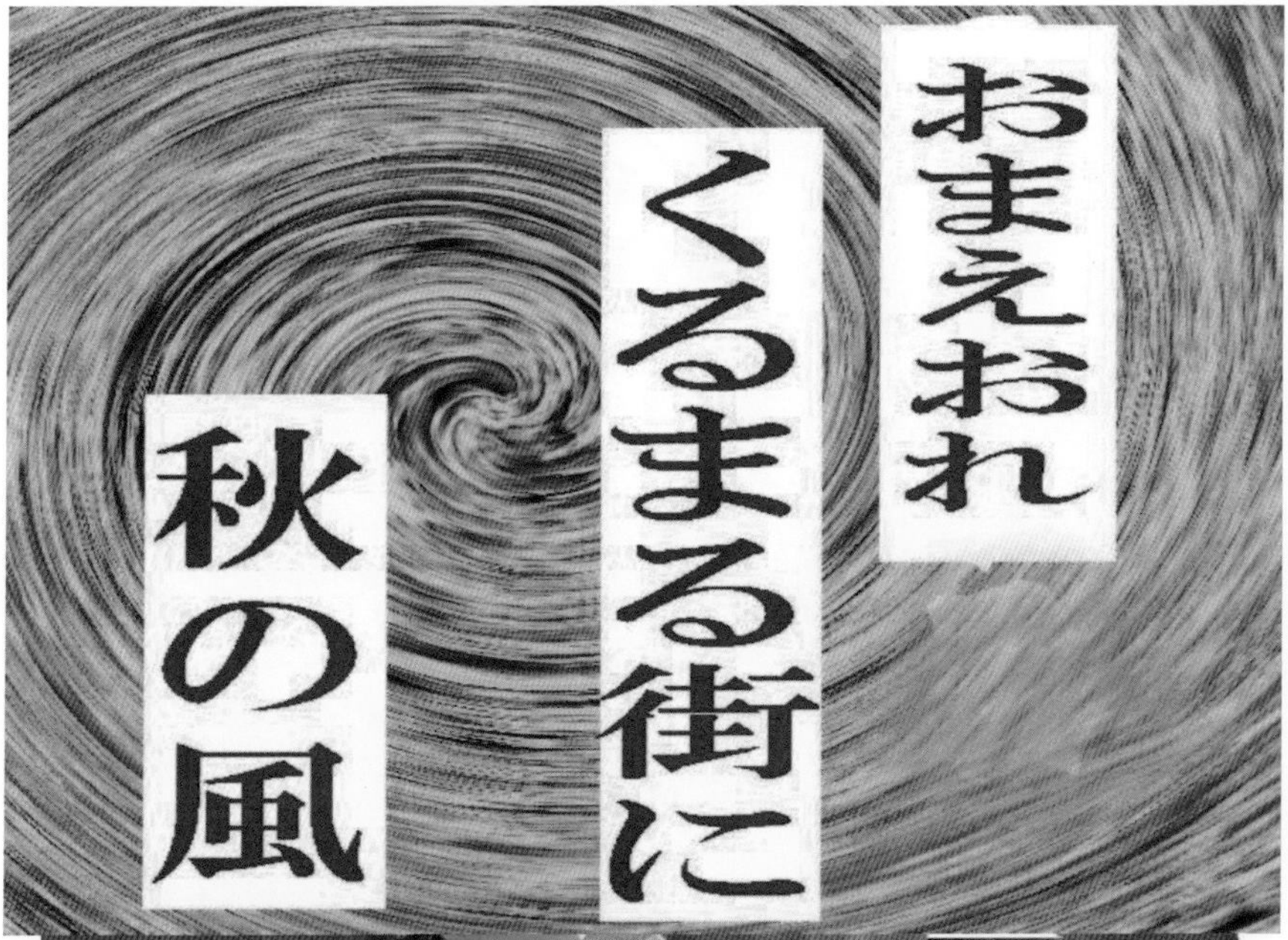
おまえおれ
くるまる街に
秋の風

ごちゃごちゃと
生きる
この世の
楽しさよ

生き抜くぞ
しがみつく岩
老蘇鉄

赤土が
積み上げられて
空と雲

暴風と
暑さに疲れ
晩夏かな

岩がある
潮風が吹く
ふたり立つ

しがらみの
向こうもまた
しがらみか

あばら家の
ひさしに雨滴
乱れ落ち

ただひとり
春を
拒否して
枯れて
ゆく

まぼろしの
きみをながめる
あきのさけ

この宇宙を
怯えながらに
漂うよ

ゆら ゆら
と
悩み 泳いで
浮世 かな

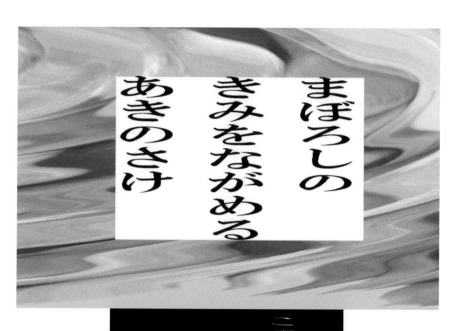

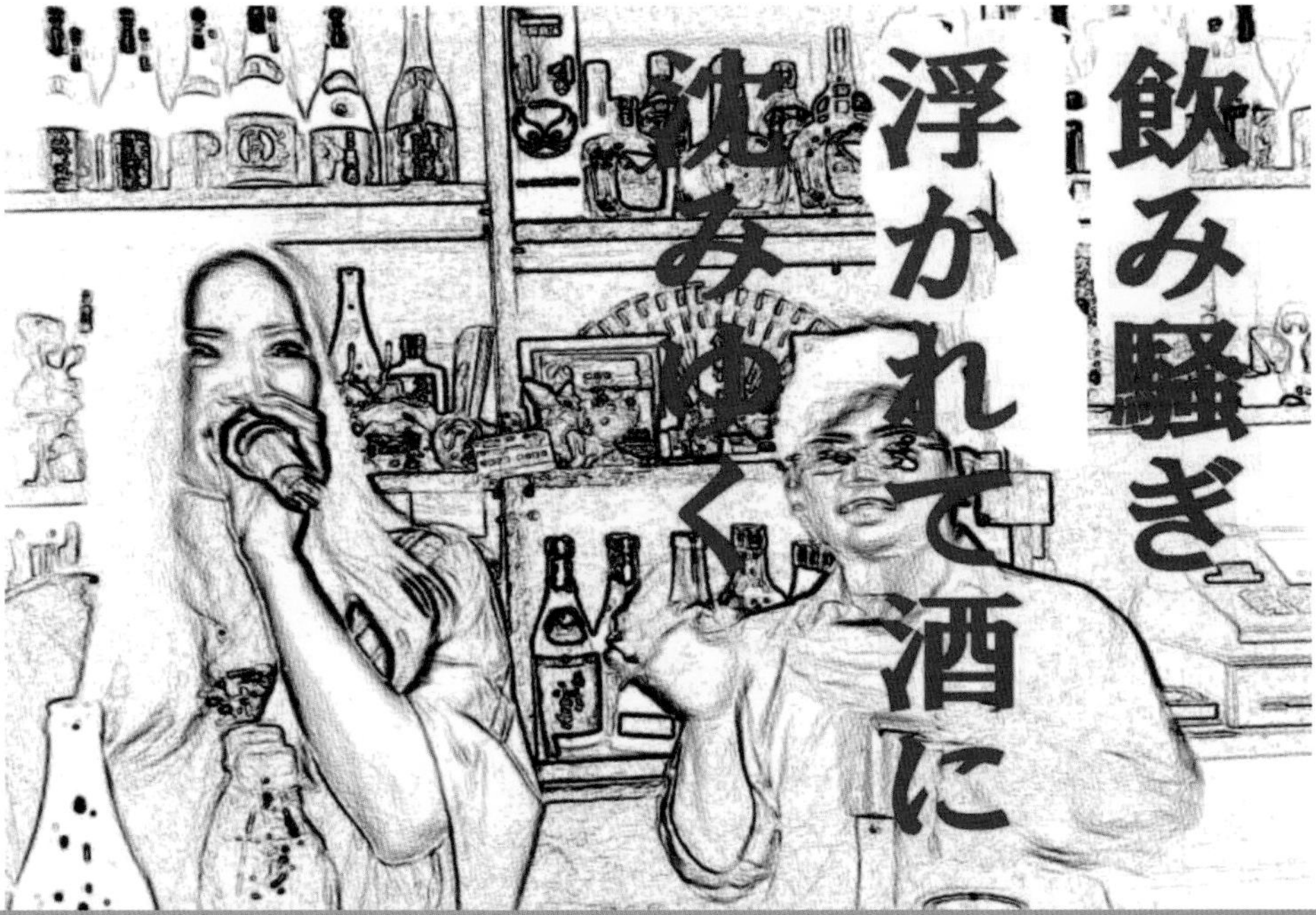
飲み騒ぎ
浮かれて酒に
沈みゆく

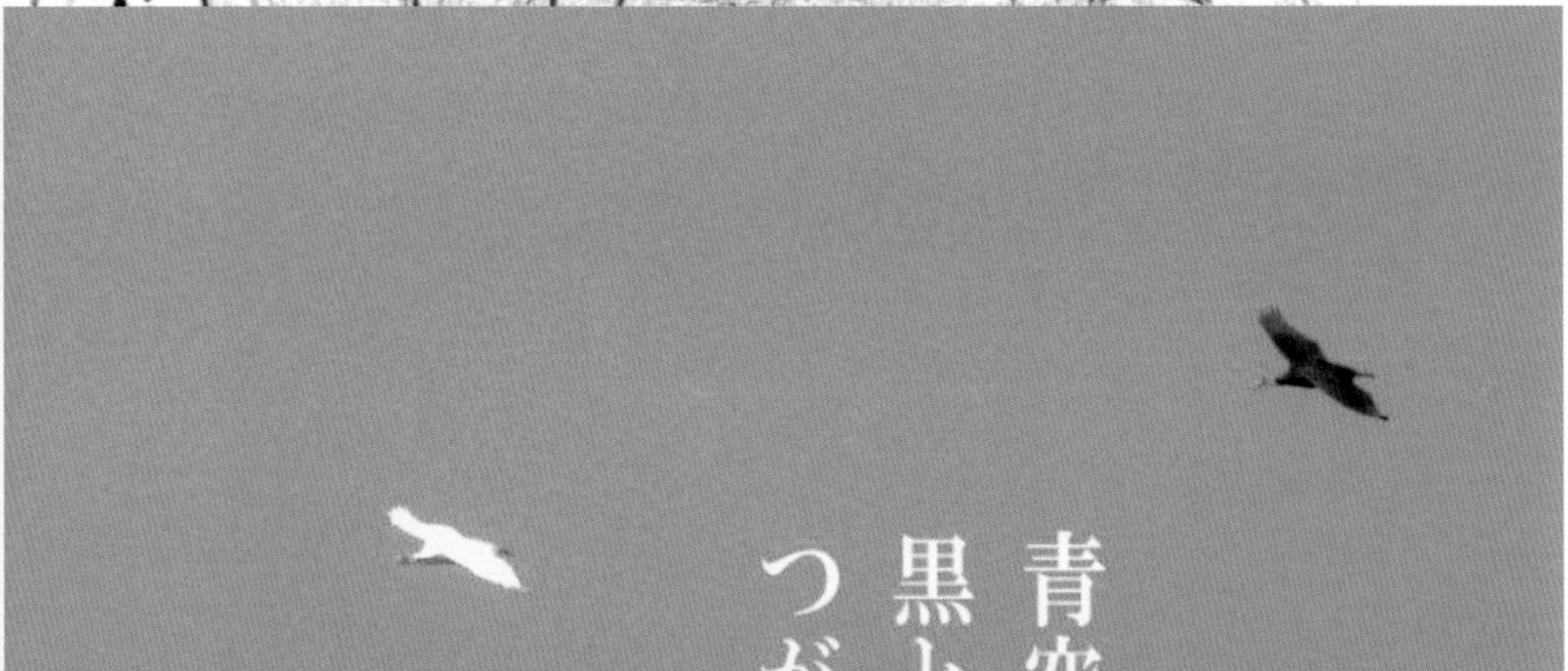
青空に
黒と白の鳥
つがいかな

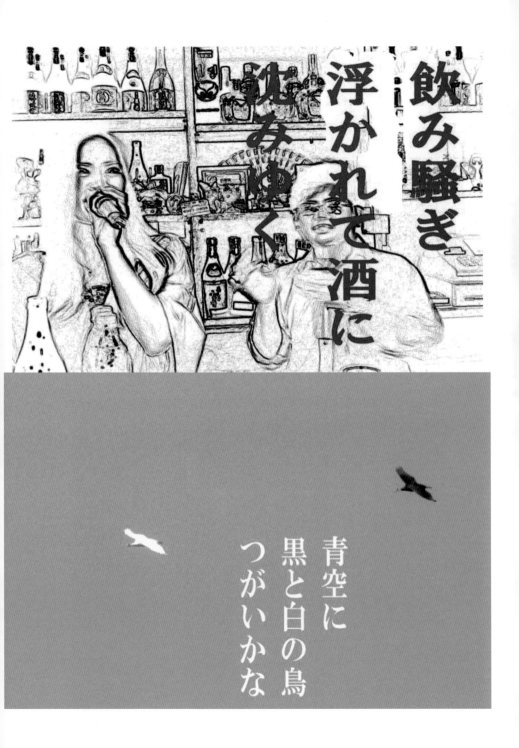

音もなく
独りの部屋に
時は過ぎ

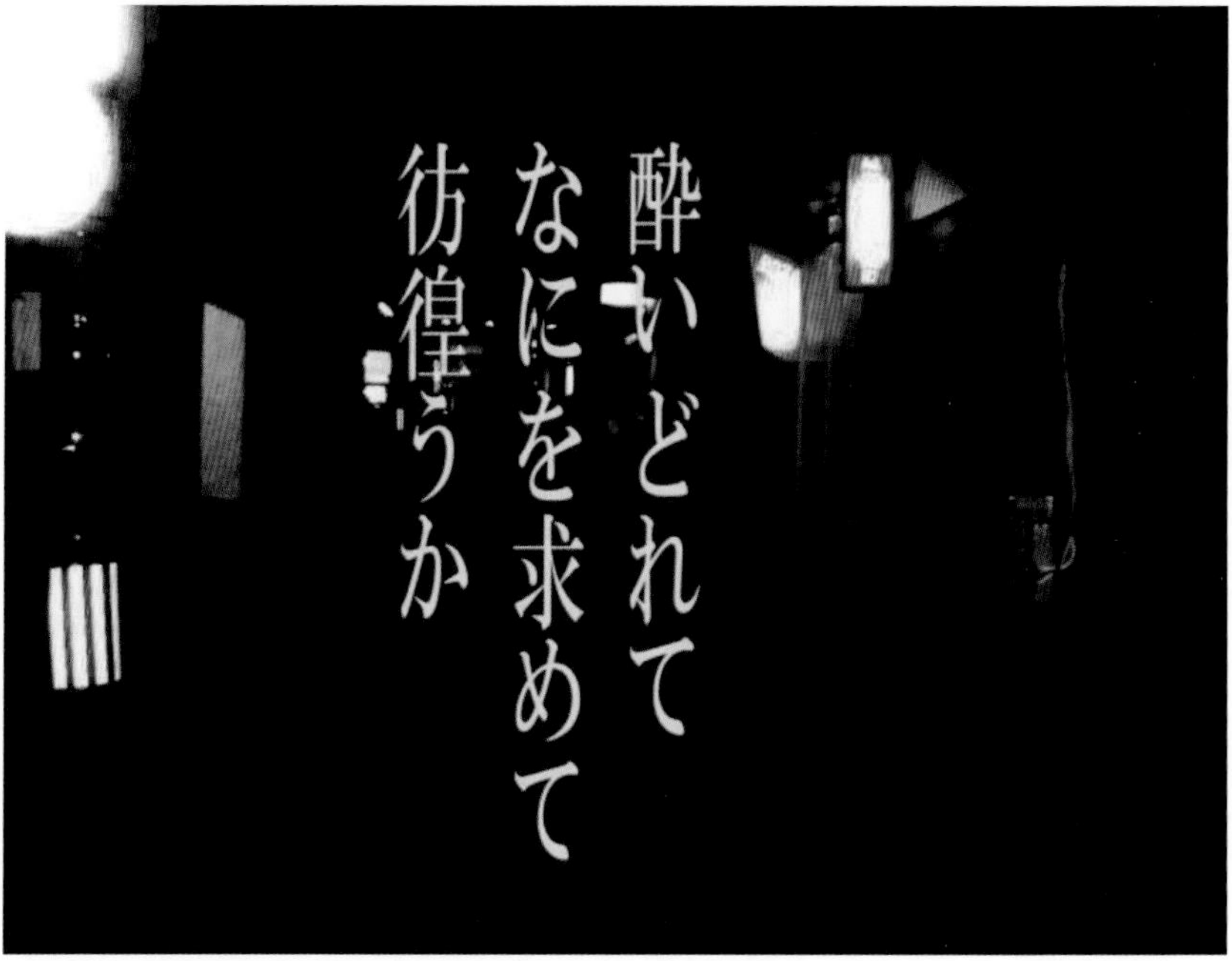
酔いどれて
なにを求めて
彷徨うか

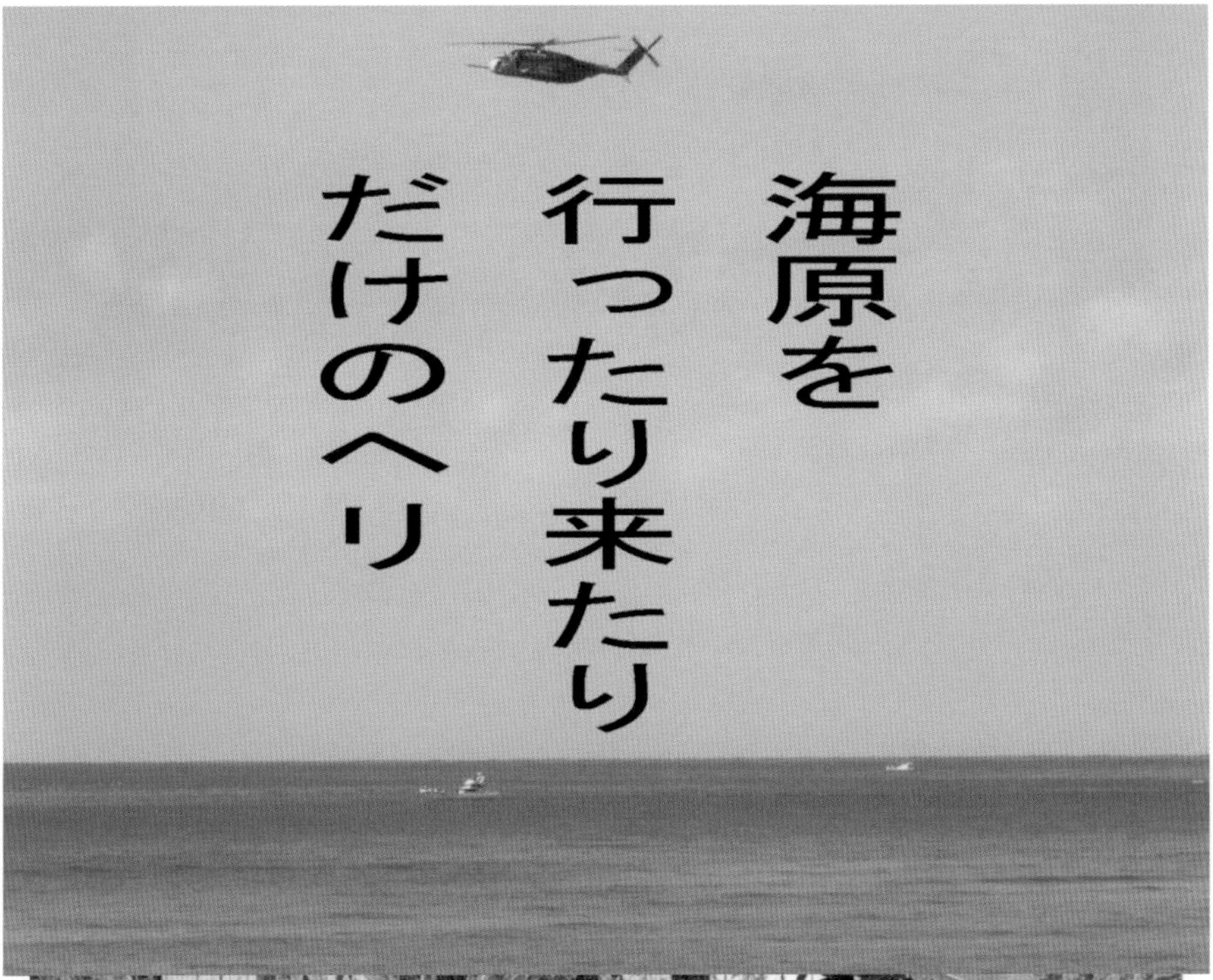
海原を
行ったり来たり
だけのヘリ

寒風に
帽子飛ばされ
おたおたと

岩に
生きる
秋の
にが菜の
花一輪

潮風と
戯れ揺れる
浜の花

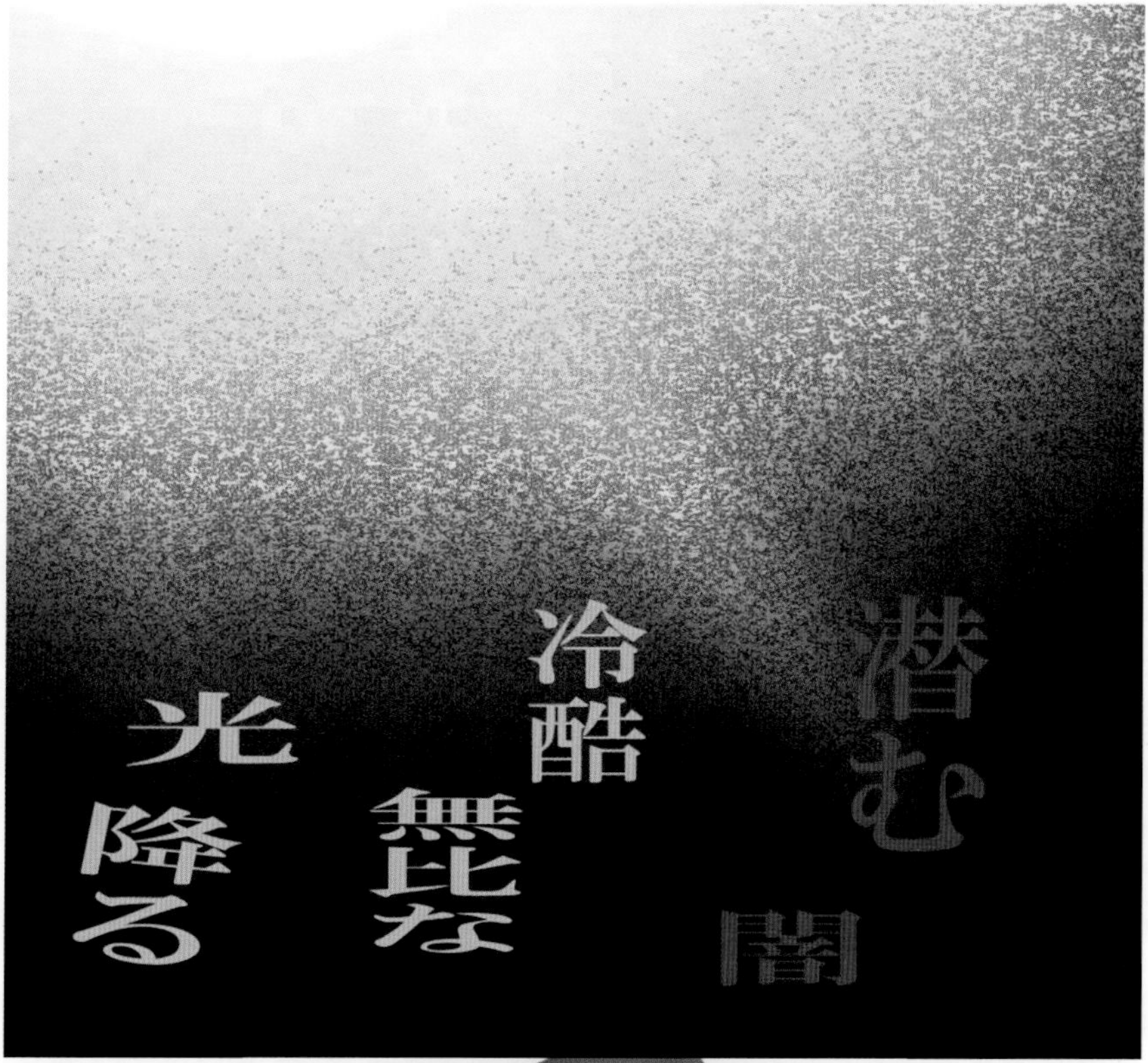
潜む闇
冷酷無比な
光降る

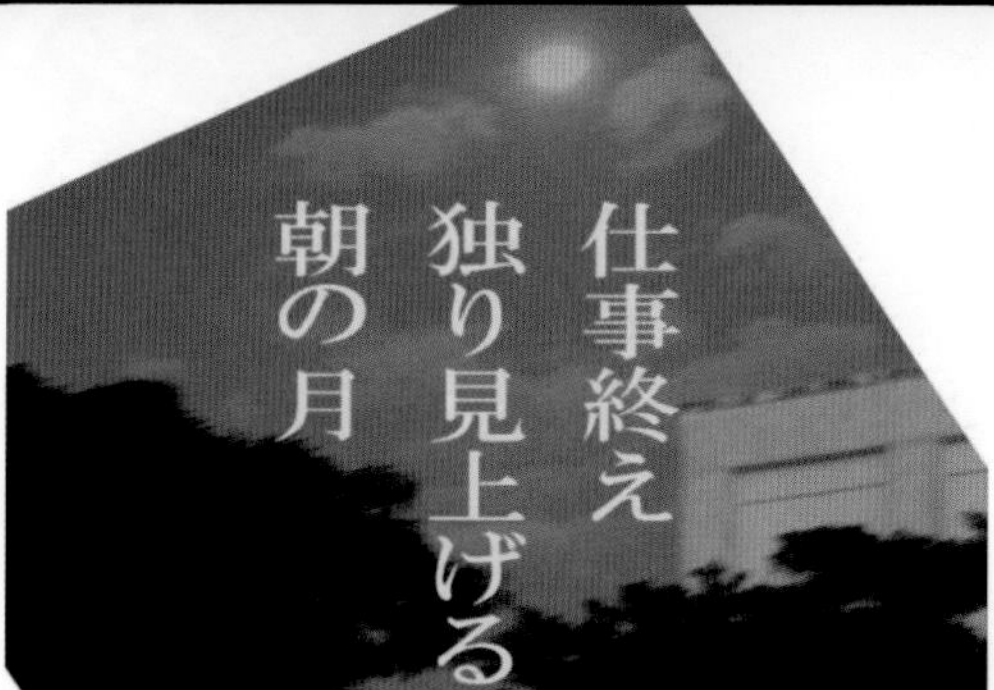
仕事終え
独り見上げる
朝の月

夢求め
這いずり歩く
当てもなく

勇猛に
狂える刹那
酒の夜

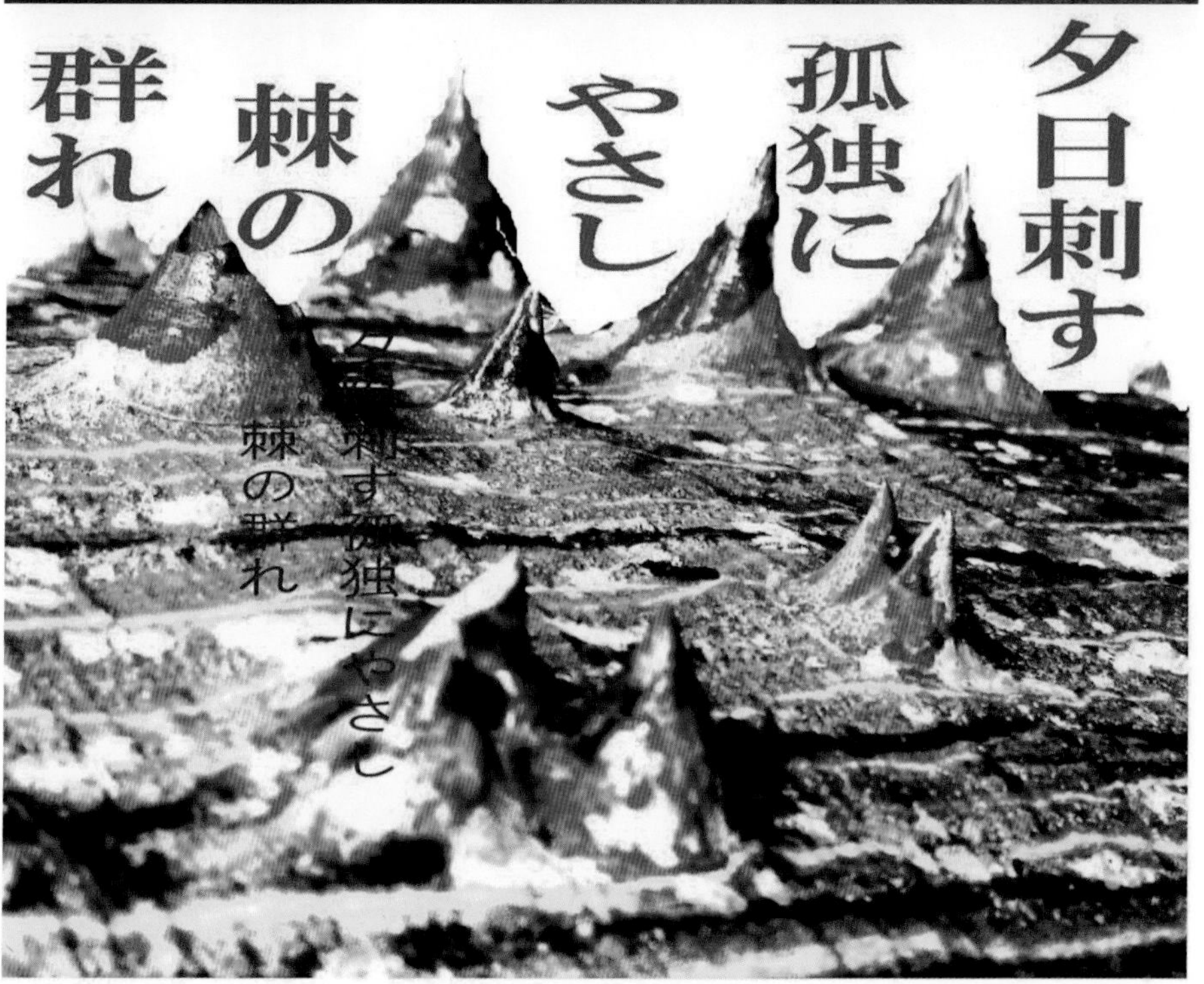
夕日刺す
孤独に
やさし
棘の
群れ
夕日刺す孤独にやさし
棘の群れ

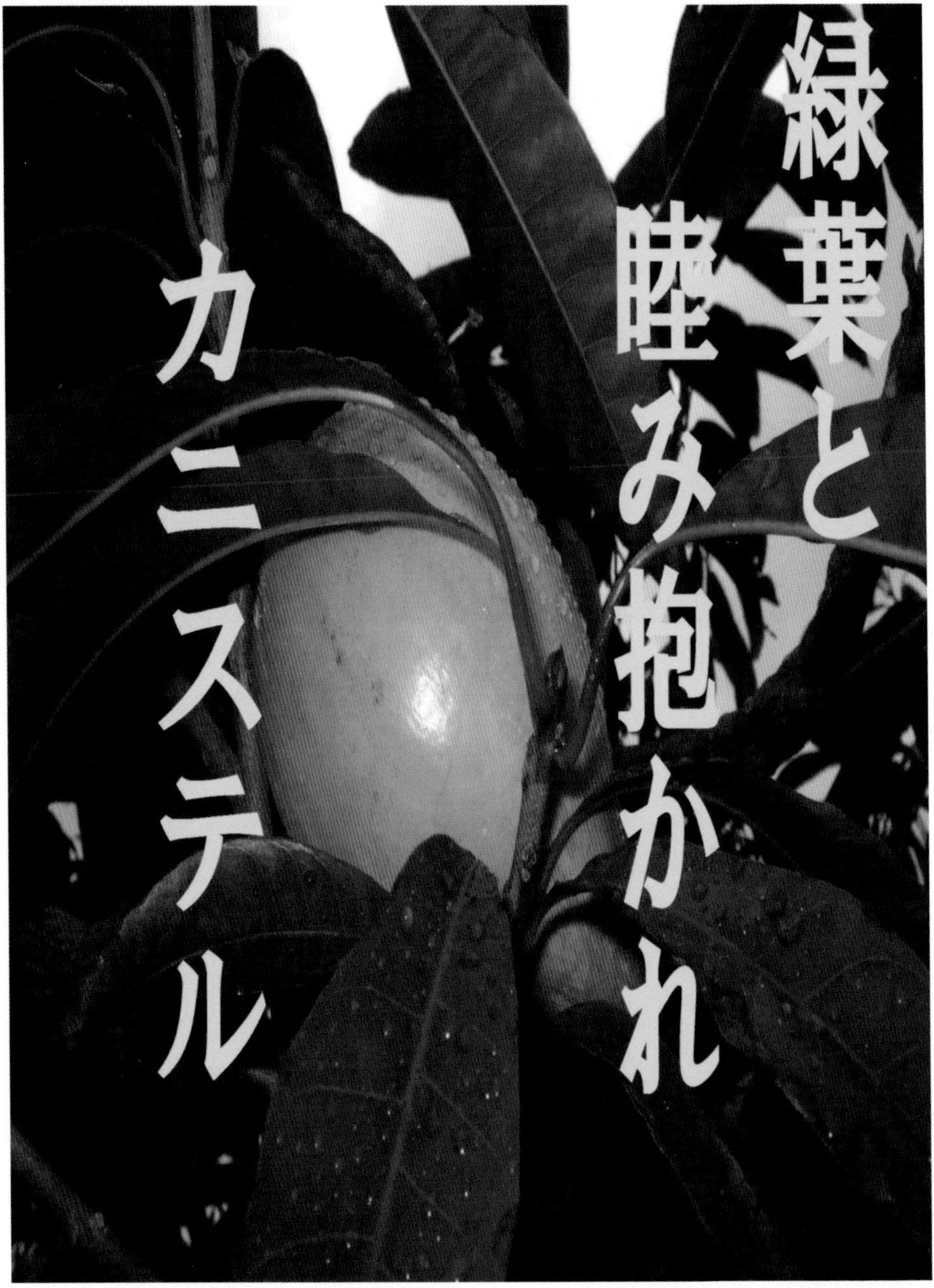
緑葉と睦み抱かれ
カミステル

黒い牡牛・ダルトン　ハリウッド

赤狩り

一カ月に一回、目の治療のために沖縄市の知花クリニックに通っている。行くのは午後である。治療が終わるのが午後三時頃で、治療が終わるといつも漫画喫茶店に行く。昼食をとるためだ。

子供の頃から漫画が好きだった。15年前まで15年間コンビニエンスをやっていたので漫画の好きな私はビッグコミック、モーニングなど漫画の見放題だった。コンビニをやって一番よかったのは漫画の見放題だった。しかし、わざわざ漫画を買ってまで見る気はなかったからコンビニを辞めてからは漫画を見なくなっていた。

知花クリニックに行くようになり、漫画が好きな私は食事をとるために漫画喫茶に行った。漫画喫茶ブームの時は至る所に漫画喫茶があったが今はほとんど見られなくなった。

漫画喫茶の流行は終わったから客は少ないだろうと思って入ったのだが、意外と客は多かった。客のほとんどは中年の男性で若い客は居なかった。若い頃に漫画ファンになり、そのままずっと漫画ファンである男性がこの漫画喫茶にやってきているのだろう。漫画喫茶では会話は一切なく、みんな黙々と漫画を読んでいる。一カ月に一回しか行かない私には読みたい漫画があるわけでもなく、昔読んだビッグコミック、モーニングなどを適当に選んで食事をしながら読んだ。ゴルゴ13や釣りバカ日誌など昔連載していた漫画が今も連載しているし、内容も昔とそれほど変わっていない漫画が多い。それに主人公が中年の漫画が増えている。中年男性を対象にした漫画が多くなっているということか。

半年前にある漫画を見て、それからビッグコミックオリジナルを買うようになった。オリジナルは月に二回発売している。買うくらいに興味を引いたのはオジナルに連載している「赤狩り」という漫画である。赤狩りとは第二次世界大戦後の冷戦初期、1948年頃より1950年代にかけて行われたアメリカにおける共産党員、および共産党シンパと見られる人々の排除運動のことである。共産主義者追放運動だ。赤狩りによって多くの人物が国外追放された。チャップリンも国外追放された一人である。

「赤狩り」はシリーズものであり、「赤狩り」された人物たちの物語である。「赤狩り」だからオリジナルを買う気になったのではない。映画「黒い牡牛」の脚本家であるダルトン＝トランボが主人公の漫画だったから買うことにした。他の人物であったら買わなかった。ダルトンの存在を昔から知っていたわけではない。知ったのは最近である。彼が映画「黒い牡牛」の脚本家であり、共産主義者であることを数年前にネットで知った。だから彼が主人公である漫画を見たくてビッグコミックオノジナルを買う気になった。

小学三年生の時メキシコを舞台にした映画「黒い牡牛」を見てとても感動した。「黒い牡牛」は舞台をメキシコにした少年と牛の愛の物語であり、１９５６年のアメリカの三流会社がつくった映画である。「黒い牡牛」を見たのは偶然だった。

母方の祖父が私の誕生日のプレゼントとして欲しい物を買ってあげるといった。私はお菓子やおもちゃなどではなく映画が見たいと言った。とにかく私は漫画と映画が好きだった。

私が「映画を見たい」というと祖父は「よし、映画を見に行こう」と言って、祖父は母と私たち孫を連れて映画館に連れて行った。その頃の嘉手納には三つの映画館があって二つは日本映画、一つは洋画を上映していた。祖父は映画を見たことがなく、興味もなかったから日本映画も洋画の区別もしないで、家に近い洋画の映画館に私たち母子を連れて行った。あの頃は二映画館に入ると二階席に上っていった。二階席は特等席であり料金を払わないと行けなかった。祖父はお金が出ると聞いて特等席である二階席にいったのだ。二階席に行くと酔っている祖父は映画を見ないでずっと眠っていた。

その時に見たのが「黒い牡牛」である。洋画だから会話は英語であり、日本語は字幕になる。小学生の私が字幕を読むのは無理である。しかし、映像を見るだけで内容が分かる映画であった。少年がまるで弟のように愛情深く子牛を育てるが、大きくなると売られていく。少年は売られた黒い牡牛に会おうと探しにいくが、黒い牡牛を見つけたのは闘牛場であった。メキシコやスペインの闘牛というのは人間と牛の闘いであるが、最後には闘牛士が牛を剣で突き刺して殺すショーである。黒い牡牛は殺される運命にあったが、頭のいい黒い牡牛は暴れまくり最後には闘牛士を突き飛ばす。黒い牡牛が勝つのである。

黒い牡牛が勝った瞬間に少年は闘牛場に入り、黒い牡牛に駆け寄っていく。しかし、怒り狂っている黒い牡牛は誰も近づけない状態である。少年も突き飛ばされる・・・と私はとても心配した。しかし、怒り狂っている黒い牡牛は少年を見るとやさしい顔になり(そのように見えた)少年は牛に抱き着く。映画の最後のシーンに私はとても感動した。ずっと私の心に黒い牡牛は残った。

「黒い牡牛」をグーグルで調べてみると、予想もしていなかった驚きがあった。脚本はダルトン＝トランボであるが彼は共産主義者として逮捕され、刑務所にも入った。共産主義者であるためにハリウッドから追放された。追放された彼は本名では脚本の仕事ができなくなり偽名を使って仕事をした。「黒い牡牛」もロバート＝リッチという偽名を使った。「黒い牡牛」は１９５７年にアカデミー原案賞を取る。

なんと「ローマの休日」も実際にはダルトン・トランボが執筆したものだった。しかし、本名を出せないのでイアン・マクレラン・ハンターの脚本とした。「ローマの休日」はアカデミー賞最優秀主演女優賞を受賞し、オードリー・ヘップバーンを世界的女優した有名な映画である。「ローマの休日」は「最優秀原案賞」も受賞した。本当の脚本原作者がトランボであることを知ったアカデミー賞選考委員会は、１９９３年にトランボへ改めて「１９５３年最優秀原案賞」を贈呈している。「ローマの休日」がトランボの脚本だったことに驚いたが、「「栄光への脱出」「スパルタカス」、「脱獄」「パピヨン」」も彼の脚本である。すごい才能の人物だったのだ。

「黒い牡牛」を見たのは偶然であるが、偶然に見た映画にとても感動し、「黒い牡牛」の名はずっと私の記憶に残った。ネットが発達したおかげで６０年以上も前の映画「黒い牡牛」について調べることができた。調べてみると脚本家がハリウッドを追放された脚本家だったのだ。そして、偶然月に一度行くようにになった漫画喫茶でダルトン＝トランボが主人公の漫画を見つけた。偶然の積み重ねでビッグコミックオリジナルを買うことになったのである。

「黒い牡牛」でアカデミーショーを取った後に「スパルタカス」「栄光への脱出」など大作の脚本を手掛けるようになったからハリウッドに復帰にして順風漫歩の人生を歩んでいったと思っていたら違っていた。「ローマの休日」の時は脚本家がダルトンであることを知られなかったが「黒い牡牛」はアカデミー賞を取ったことでダルトンが原作者であることが明らかになり、圧力や嫌がらせが激しくなる。ダルトンの子供は学校でいじめられるようになり、ダルトンの脚本活動への監視が厳しくなる。

「スパルタクス」の時も本名を使わないでサム・ジャクソンという偽名を使ったが、偽名を使っていることがばれて共産主義追放団体からサム・ジャクソンと解約するように圧力がかかる。圧力を受けたプロデューサーはダルトンを解約しようとするが「スパルタカス」の主人公を演じているカーク・ダグラスはプロデューサーに解約するように命令されるが、偽名のサムを1ドルで解約して別の偽名を使ってダルトンと再契約する。そして、「スパルタカス」は完成して発表する時に脚本はダルトンであると発表する。また、ポール・ニューマンが主人公の「栄光への脱出」ではオットー監督はしつこくダルトンに脚本を書くように迫り、脚本が完成すると脚本はダルトンであると発表する。ダルトンの才能にほれ込んだカーク・ダグラスとオットー監督はダルトンに脚本原稿を依頼し、名前も偽らず公表するのである。才能あるものは認めるというのがアメリカである。

共産主義者追放運動は在郷軍人会、カトリック退役軍人会やヘッドホッパー、ジョンウェインなどの右派の団体であり、上映禁止運動も激しくなる。

漫画はアーサーキングの公民権運動に長女が賛同し、黒人の少年たちと人種差別反対運動に参加するようになる。そして、ジョン・F・ケネディが登場し大統領に立候補する。時代は1960年代に入る。

映画好きの私が小学生の時、偶然見た「黒い牡牛」が強く印象に残り、漫画好きの私が偶然「黒い牡牛」の脚本家ダルトンが共産主義者であるがためにハリウッドで弾圧される「赤狩り」を見つけた。赤狩りにはなんとマリリン・モンローやケネディ大統領も登場する。マリリン・モンローの帰らざる川が好きでレコードを買って歌を覚えた。私が英語で歌える歌は帰らざる川だけである。ケネディ大統領は核戦争を阻止したとして私のヒーローだった。こんな偶然のつながりがあるとは。不思議なものである。

マチューのシアワセな日々

泥酔してあばら骨を折った

２月２２日月曜日午後5時２０分。三線のケースを担いでドアを開け外に出た瞬間にぶるっとマチューの体が震えた。寒い。寒いのは家の中にいる時から知っていた。家の中よりも寒い。家の温度計を見ると１３度だった。マチューの家は暖房設備がないし壁や天井は裸のコンクリートで板の壁ではない。だから外の気温と家の中の気温は同じである。家の中が１３度であるということは外も１３度くらいなのだ。同じ温度であるが外は非常に寒かった。原因は風だ。北から強い風が吹いていた。冷たい風のせいで厚着をしていても寒い。

「どうしよう・・・。車で行くか、歩いていくか」マチューは迷った。迷いながら玄関の前に駐車している車を通り過ぎた。頭では迷ったが体はいつもの習慣によって歩いていた。車に乗るか乗るまいかと迷いながら車から離れていくマチューであった。

マチューは毎週月曜日に嘉手納町の三線教室に通っている。２キロ程の距離であるので健康のためにと歩いて通っている。しかし、今日は寒い。車でいったほうが寒さをしのげる。ただ、車でいくなら３０分ほど余裕がある。家に入り３０分間時間つぶしをしなければならない。歩いていくなら余裕がない。すぐに行かなければならない。家に戻るのが面倒くさいマチューであったから迷いはしたが歩いていくことにした。歩いていくことを決めた時には家から二十メートル離れていた。

・・・寒さに負けてたまるか。歩くのだ・・・身体が衰える老人の世界に入ったマチューはつぶやいた。寒さから逃げるのではなく寒さに向かっていく。そして、身体が衰えないためにできるだけ歩くのだ。歩け歩けだ。

車の時代になっている現代。歩いて買い物ができるまちやぐゎー(小売り商店)はなくなり、遠く離れた場所に大型スーパーだけになった。買い物は車でやるようになった。運動不足になるように仕向けているのがが今の社会である。太っている人が多くなった。

マチューも太っていた。独り身だったが、昔なら自炊をしなければならないが今は違う。レストラン、ラーメン屋、蕎麦屋、軽食店、食堂、弁当屋があるし、スーパーには多くのファーストフードを売っている。車を利用すれば食事をするのは困らない。外食の日々を過ごしていたマチューだった。しかし、マチューは5年前に脳出血をした。原因は糖尿病だった。糖尿病の原因は外食だけをやり、おいしいものを腹いっぱい食べ続けているうちに血圧と血糖値が高くなり、脳出血を引き起こしたのである。

若い時から病気には無縁で病院に行くことはなかったマチューはショックを受けた。幸い脳出血は軽く、一カ月の入院で済んだ。

退院したマチューは血糖値を下げる決心をした。外食をやめ、自炊をやり野菜中心の食事をした。それから体重を落とすために腹六分の食事を心がけ、三か月で体重を75キロから65キロに落とした。

マチューは脳出血や脳梗塞で脳がマヒするのを一番恐れている。半身不随になったりするのはいいが、意識不明になりベッドの上で生きるのは嫌だった。それよりは死んだ方がいい。自分で半身不随と意識不明を決めることはできない。だから、脳出血をしたくなかった。一番かかりたくない病気をしてしまったマチューであった。幸い意識不明にはならなかったから運がよかった。二度と脳出血はしないと決心したマチューだった。

血糖値が高いのが脳出血の原因である。たったら血糖値を下げ、正常値にすることが脳出血を防ぐ最良の方法である。血糖値を下げるには規則正しく食事をやり、食事の量を落とすことである。マチューは自炊をやり体重を落とした。

糖尿病を悪化させないためには食事を押さえることと運動をすることであるが、トレーニングジムに通う気にはなれないし、ジョギングをする気にもならない。30分とか1時間散歩する気にもならない。目的もなく歩くのは性に合わない。だからランニングマシーンを買った。そして、スーパーや三線教室には歩いて行くようにした。最近はランニングマシーンで走るのはしなくなった。薬を毎日飲んでいるがとにかく血圧と血糖値は正常を維持している。正常な値が続くときついことはしなくなる。たまに数分くらいランニングマシーンで走るがほとんど利用しなかくなった。血糖値が上がればランニングマシーンで走るが定期健診では正常値を維持している。走る気力が縮んでいる最近である。

スーパーや三線教室に行くときは歩くのをずっと守っている。それだけでもそれなりに効果があると思っているマチューである。だから、毎週月曜日の三線教室には歩いていくことにしている。

路地から二車線の大通りに出た。二車線は大木から大湾、古堅、嘉手納へと続く南北に走る道路である。嘉手納は南側である。路地から出ると左に曲がった。風は北風だから冷たい強烈な風は背中に吹き付ける。背中なのでぐっと体を引き締めると寒さをしのげた。

古堅南小学校を過ぎ、古堅と渡久地を結ぶ車道を横切り、坂を下った。なだらかな坂はずっと続く。車道を横切ると坂はもっとなだらかになり、やがて坂は終わる。１００メートルほど歩くと道は突き当りになる。突き当りを右に曲がる。５０メートルほど進むと５８号線車に出る。

読谷村には国道５８号線が二つある。この５８号線は新しくできた道路である。新５８号線といったところか。昔からある５８号線はここから東に数キロ離れた国道である。別々の場所の国道であるから名称は違うと思っていた。ところが同じ５８号線である。友人からこの道路が５８号線だと教えられた時、

「嘘だろう」と信じなかった。

「俺もさ信じられなかったよ。ネットの地図で調べたら５８号線になっていた。俺の言うことを信じないならネットで調べてみろ」

マチューはネットで調べた。友人が教えたことは本当だった。５８号線が二つあることにマチューは納得しなかったが国が決めたことである。認めざるを得ない。だが、マチューはこの道路を５８号線と口にしたことはない。

５８号線を南に進んでいくと赤い橋に着く。橋の正式な名前は比謝大橋である。比謝橋も二つあるのだ。東側の比謝橋は吉屋チルーの「恨む比謝橋や　情ねん人ぬ・・・・・」琉歌に歌われているように昔からの橋である。マチューにとってこの比謝橋だけが比謝橋である。なにが比謝大橋だ。比謝橋の名前を使うのがおこがましい。歴史ある比謝橋に失礼だ。誰も比謝大橋と言うはずがない。比謝橋は昔からある比謝橋だけである。誰も新しい橋を比謝大橋と言わない。言うはずがない。言うべきではない。赤いペンキで塗られているからみんな赤橋と呼んでいる。この橋に一番ふさわしい名前である。

赤橋を渡ると嘉手納町である。赤橋は嘉手納町の西側にあり、赤橋を渡った一帯は戦前は製糖工場があったらしい。戦前は那覇から嘉手納町の間に鉄道があったという。嘉手納町が最北の駅だったらしい。。鉄道は嘉手納製糖工場への引き込み線があり砂糖を那覇に運んでいたという話を親からきいたことがある。製糖工場は沖縄戦の時に破壊された。

マチューが少年の頃はこの一帯には住宅はなく、製糖工場のレンガでつくった大きなかまどが残っていた。かまどの周囲は雑草が生い茂っていた。今はかまとはなく、雑草の生えていた野原は10階建ての町営アパートや個人アパート、住宅が密集する住宅街になった。少年の頃の風景は一変した。

嘉手納町に入ると左に曲がる。密集している住宅が北風をふさぐので風の勢いが和らいだ。6時5分前に三線教室に着いた。

三線教室は7時に終わる。マチューは近くにあるスーパーサンエーに向かった。三線教室の帰りにサンエーで牛乳、豆腐などの食品を買うのが習慣となっている。家の近くには商店がない。日用品や食品を買うには遠くにあるスーパーしかない。だから、週一回は三線教室の帰りにサンエーで買い物をすることにしている。

牛乳、マグロの刺身、味噌、ゆし豆腐、黒糖かりんとうを買った。サンエーを出た時に冷たい突風がマチューを襲った。するとマチューの体がガタガタと震えた。驚いた。突風に「寒い」と感じる前に体が震えたのだ。体が震えてから寒さが襲ってきた。サンエーを出て右に曲がり、新町通に向かったが北に向かっているので強風を正面から受けた。寒さで体の震えは止まらない。嘉手納町を出ると58号線を北に向かって歩かなければならない。強烈な北風にガタガタ震える老体は持ちそうにない。本当に「ヤバイ」と思った。

「・・・歩くのは止めて、タクシーで帰ろう・・・」

と思ったマチューだった。

新町通りに出て、タクシーを拾おうとしたが、新町通りを通るタクシーはなかった。以前は数分あればタクシーを拾うことができたが、今は携帯電話で呼ばないとタクシーは来ない。携帯電話は持っているが携帯電話にはタクシー会社の電話はインプットしていないし、タクシー会社の名刺も持っていない。タクシーには滅多に乗らないマチューだった。

体の震えは止まらない。前を通り過ぎた３０代の男は手をポケットに入れているが、体が震えるほどに寒そうにしていない。マチューだけが体が震えているようだ。こんなに体が震えるなんて初めてだ。今より寒い時は何度もあった。しかし、体がこんなに震えることはなかった。７０歳と老齢になったからだろうと思ってしまう。もう、俺も老人か・・・・。寂しさとむなしさがマチューの心を包んだ。

タクシーがないなら歩いて帰るしかない。しかし、寒さに体が持ちこたえることはできそうにない。タクシー以外にこの寒さを乗り切る方法は一つしかない。酒で体を温めることだ。酒が飲める場所はスナックである。居酒屋もあるが一人で居酒屋で飲む気にはならない。やっぱりスナックだ。

スナックで酒を飲んで体を温める。体が温まれば冷たい強風をしのいでなんとか家に帰れるはずだ。マチューが向かったのは風酔というスナックである。新町通りを過ぎるとL字カーブになっている。L字カーブをそのまままっすぐ進む道路がある。正確にはL字カーブではなく三差路であるが、まっすぐ行く道路は昔はなかった。継ぎ足しのように造られた道路だから三差路というより道路から筋道に入っていくイメージが強い。

人口が増え新しい住宅が増えていくようになった５０年前にL時の曲がり角に新しい道路がつくられた。新築の家が次々と建っていった。そして、スナックも増えていった。スナックの多いこの通りは３００メートルくらいのまっすぐな道路であるがスナックが増えるとスナック客を狙ってレストランや割烹などもでき随分賑やかなスナック街になった。マチューも若い頃はよく通ったものだ。しかし今は、時代の流れに取り残されてさびれている。昔は２０代の若かかった女性たちが今では老人になっている。港町のスナックは年老いたホステスが多く、客も少なくなり、さびれている。

マチューが向かっている風酔は５０代のママと４０代のホステスのなっちゃんの二人でやっているスナックである。７０歳のマチューにとっては２、３０代のホステスよりは４，５０代のホステスがいい。タクシーが通ったらタクシーに乗るつもりであったが港町通りに着くまでタクシーは通らなかった。

港町通りはなだらかな坂になっている。「愛二人」の看板がある。「あいふたり」とは言わない。「会いたい」と言う。ウチナーロで一人はチュイ、二人はタイ、三人はミッチャイと言う。「愛二人」の二人はウチナー口で言うタイと読む。だから「あいたい」と言うのだ。愛二人は60代の女性一人でやっている。70代の女性二人でやっているスナックがある。店の名前はZIKuZAKUという。ZIKZAKUは昼の3時ごろからやっている。昼に客は来ないと思うがそうでもない。7、80代の年金生活をしている老人が昼から来るそうだ。アリランというスナックがある。名前から想像する通り韓国の女性が一人でやっているスナックである。

午後7時半に営業しているスナックは少ない。ほとんどのスナックは8時頃から9時に開店する。

風酔は6時に開店する。港町通りのスナックで6時に開店するのは風酔だけである。風酔に着いた。風酔に入る時に三段の階段を上る。建物が歩道より高くなっているのだ。ドアを開けて中に入ると奥のカウンターに客が二人居た。マチューは壁際に並んでいる使っていない椅子に買い物袋を置き、椅子の側に三線ケースを立てた。それから入り口から二番目の椅子に座った。

「いらっしゃい」

なっちゃんが微笑んでマチューを迎え入れた。

「菊の露を一杯」

菊の露は宮古島のあわもりである。なっちゃんは水割りをマチューの前に置いた。これで体が温まる。マチューは飲んだ。しかし、体は温まらない。あわもりを飲めばじわりじわりと体の内側から温まっていく・・・。しかし、温まらない。若い頃なら体が温まるはずであるがやはり老人になるとすぐに体が温まることはないのだろうか。マチューは一気に飲み干すと、

「ストレートで」

とグラスを渡した。なっちゃんはあわもりに氷だけを入れたグラスをカウンターに置いた。氷で冷えたストレートの酒を飲んだ。ふわーっと口の中から喉にかけて温かくなるはずだがならない。二杯目を飲み干したマチューは三敗目もストレートにした。体が温まってきたという自覚はなかったが、寒いという感覚が薄れていったマチューであった。

ストレートのあわもりを飲み干し、氷だけのグラスをなっちゃんに渡した。

「ストレートにするの」

マチューは迷った。水割りで飲みなれているマチューにはストレートはきつい。のんびりと飲んでいる

気になれない。飲んだ時に舌がきつい。ストレートは気持ちに余裕が持てない。水割りならのんびり会話ができるが、ストレートは酒が口にある間は酒のきつさと闘っているから話ができない。気持ちをのんびりにするには水割りがいい。

「水割りだ」

なっちゃんは、

「ストレートを飲む時は苦しそうね」

と笑いながらグラスを取り、カウンターの下の流しに氷を捨て、新しい氷を入れて、マチューに背を向けると棚から茶色の菊の露のビンを取り、泡盛を注いだ。氷を入れ、ペットボトルの水で薄めて、

「はい」

カウンターに置いた。

寒さが和らぎ、気持ちが落ち着いてきた。口が軽くなりなっちゃんとの会話が弾んできた。しかし、年齢が２０歳以上も違う。共通する話題は少ない。マチューの体験話が多くなり、なっちゃんはマチューの話を微笑みながら聞く。

「嘉手納飛行場は飛行機の爆音がひどいとなっちゃんは思うだろう」とマチューは話し、なっちゃんは「そうね」という。するとマチューは「今は静かだよ。昔に比べれば」と得意顔で言い、マチューが若い頃にはベトナム戦争があり、毎日Ｂ５２重爆撃機がベトナムに爆弾を落としに飛び立った。「離着陸の爆音は大したことない。爆音ですごいのはエンジン調整なんだ。住宅街に尻を向けて一晩中爆音だ。テレビは聞こえない。大変だった。あの頃に比べれば、今は静かだよ」

「ふうん。そうなんだ」

嘉手納飛行場の爆音の大きい話が終わると音の大きいつながりで糸満の話になった。

マチューは昔、糸満に住んだことがある。読谷の農家で育ったマチューが糸満で驚いたことは声が大きいことだった。

「糸満の漁港の道路を歩いていると、遠くで大声で喧嘩しているのが見えたんだ。殴り合いはしていなかったからゆっくりゆっくり近づいていった。すると笑い声も聞こえた。傍まで近づいて分かったんだ。二人は普通に話し合っていたんだ。それにしても大声だった」

糸満の人は声が大きい。普通の声でちゃんと聞こえる距離でも大声で話すとマチューは言った。

「居酒屋のうるさいことうるさいこと。お祭りをやっているのではないこと疑いたくなるくらいに声が大きい」

マチューは糸満で生まれ育った友人に糸満の人の声の大きいことに不満をいうと、友人は苦笑いしながら声の大きい理由を説明した。

糸満は漁師の町である。サバニに乗って漁をするが、サバニに乗りながら会話をする。サバニとサバニは離れているから大声で話さなければならない。だから、糸満の漁師は大声で話すようになったと友人は説明した。しかし、それは海の上でのことである。陸に上がれば普通の声で話せばいいじゃないかとマチューが言うと、友人は苦笑いしながら、

「彼らはあれでも声を小さくしているつもりだよ。それでも声が大きいいんだ」

「ふううん。声を小さくしてもあれだけ大きいのか。確かにサバニなら居酒屋くらいの声では聞こえないな。もっと大きい声じゃないと聞こえないな。スピーカーを使ったくらいの声じゃないとな」

マチューは糸満漁師の声が大きいことに納得した。

「糸満で飲むようになってからは、読谷に帰って居酒屋で飲むと、まるで通夜みたいに感じたよ」

「居酒屋が通夜なの。変なの」

「ああ、みんなひそひそ話しているように感じた。でも昔の話だ。今はわからん」

マチューはぐいっとあわもりを飲んだ。

なっちゃんは嘉手納の生まれ育ちではない。与勝で生まれ育った。嘉手納の男性と結婚して嘉手納に住むようになった。１０年前に離婚したが与勝には帰らないで嘉手納に住み続けた。なっちゃんには二人の娘が居る。転校して環境が変わるのは娘たちがかわいそうと思ったからだ。

マチューの話が最近体験したことに変わった。

「最近のスマートフォンは声でインプットできるんだな。驚いた。声でインプットできるなんて考えられん」

久しぶりに会った息子が声でインプットするのを見てマチューは驚いた。

「時代の変化はすごい。携帯電話が出たのはつい最近のことだと思っていると、携帯でネットができて、声でインプットすることができるようになった。文字をうつのは分かるが声をスマフォがちゃんと聞く

ことができるというのは俺には理解できない。科学の進歩が余りにも早すぎる。俺はガラケイだ。声でインプットできるのならスマートフォンに代えようかな。なっちゃんはスマートフォンを持っているのか」

「ガラケイよ。娘は二人ともスマートフォンよ」

「もう、スマートフォンの時代だな」

「娘のスマートフォンで声でインプットしたけどできなかったわ」

「欠陥品だったのか」

「娘はインプットできた。私はできなかった」

「え、どういうことだ」

「方言の訛りがあるとできないみたい」

「共通語で話したんだろう」

「ええ」

なっちゃんにウチナー口の訛りは感じなかった。

「ううん。わからん。訛りかあ」

なっちゃんが生まれ育った村はウチナー口が根強い村だった。なっちゃんは今でも村の大人たちと話す時はウチナー口を使っているという。しかし、四十代の女性なら子供の頃から共通語を使っていたはずだ。訛りがあるはずがない。マチューが聞いてなっちゃんに訛りを感じなかった。マチューは共通語とウチナー口の両方使っている。共通語を使うときはウチナー口の訛りを消している積りであるが、自分で気づいていないだけのことか。

「訛りのある共通語をスマートフォンは受け入れないんだ。俺もインプットできるかどうか息子のスマートフォンで試してみないといかんな」

「そのほうがいいわ」

共通語とウチナー口の発音では多くの違いがあるが、そのひとつにあげられるのは共通語にない濁音がウチナー口にはある。清音と濁音といえばさとざ、たとだのように「゛」をつけたのが濁音である。共通語にはあいうえおの母音に濁音はないがウチナー口にはある。

ウチナー口で「入れ」は「イレー」というが「座れ」はイの濁音で「イレー」という。身分の高い人に分かりましたと言うときには「ウー」とごびをさげて言う。よくわかりませんと言うときは「ヴー」と語尾を上げて言う。他にも共通語にはないウチナー口の発音があるがマチューは使い分けている。しかし、なっちゃんに訛りがあるとなるとマチューにも訛りがありスマートフォンに声のインプットはできないのかも知れない。マチューは腕を組んで考え込んだ。

「私の村はとても田舎だから訛りが強いかもしれないわ」

「なっちゃんは田舎によく帰るのか」

「時々ね。両親も年取ったし、私に会いたがるの。だから一カ月に一回は田舎に帰るの」

「ふうん。親孝行だな」

「うちの両親はね、耳が遠くなって二人とも補聴器をつけているの」

「何歳だ」

「83歳よ」

「その年なら耳が遠くなるのは仕方がないな」

「でもね、私と話す時は補聴器を外すの」

「え、耳が遠いのだろう。なぜ外すんだ」

「私の声が大きくて補聴器をつけていると耳がいたくなるって」

「補聴器なしでなっちゃんとは話すのか」

「ええ」

「じゃあ、耳は遠くないんじゃないか。おかしいよ」

「でもほかの人とは補聴器がないと聞こえないって」

「ふうん。ということはなっちゃんの声が大きいということか。大きくないけどな」

マチューの脳裏に姉のことが浮かんだ。姉は結婚して嘉手納の東にある屋良に住んでいた。ベトナム戦争時代の頃である。毎日出撃するB52重爆撃機はエンジン調整する時に住宅の方に尻を向けるから、爆音がひどかった。爆音が大きい生活をしていた姉は次第に声が大きくなっていった。読谷の実家に帰った時も姉の声は大きかった。母は姉の声が大きいことを嫌い文句を言ったが、姉は普通の声を出していると思っていた。

「なるほどな。ということは俺たちの声も大きいということだなっちゃんの親にとって。嘉手納飛行場があるからな」

「そうみたい。私も嘉手納に住んでいる内に声が大きくなったみたい」

「さっき糸満人は声が大きいと言ったが、声が大きいと言った俺もなっちゃんの村では大きいというわけだ。ふうん」

ドアが開き男が入って来た。マチューの席から二つ隣の席に座った。なっちゃんは棚から菊の露のボトルを取りだした。男がストックしたボトルだろう。

ボトルを置いてあるということは常連である。なっちゃんは男の前にボトルを置いてから、グラスを取り出して氷を入れ、あわもりを注ぎ、水を入れ、スティックでかき回してから男の前に置いた。新しい客が来たのでマチューはグラスのあわもりを飲み干すと出ていくことにした。老人は退散しよう。

マチューが入りむ口に近い席に座るのは客が増えたら出ていくことにしているからだ。マチューは常連客ではない。客は4、50代の客が多い。マチューのように70代の客はほとんどいない。知り合いも居ないし同世代も居ない。ママとなっちゃんの二人だけだから客が増えるとマチューの相手をする時間がとても短くなる。孤独になるから、客が増えたらでていくことにしている。

グラスのあわもりを飲み干した。帰ろうと思ったが極寒の風が頭をよぎった。極寒の風に耐えることがまだできそうにない。あと一杯を飲むことにしよう。マチューはなっちゃんに注文した。

男がなっちゃんに民謡の島情話をカラオケで歌わせた。マチューが大好きな歌だ。琉球民謡は好きじゃない。でも何曲か好きな民謡がある。島情話はその中の一つだ。この歌を初めて聞いたのは仲の町のスナックだった。ホステスが歌っていた。島情話は歌詞が詩的だった。琉球民謡の多くは口語的である。島情話は違った。モニターに映った「染(す)みならやる里や」という歌詞を見てマチューは驚いた。「住み」ではなく「染み」である。直訳すると「染まってしまった男は」になるが染まるとは男の色に染まるということで恋するということである。昔は女が男に恋した心を染まると表現した。マチューの記憶にあるのは日本の昔の表現として使っていたということであり、ウチナーに染まるという表現があるとは知らなかった。ちんさぐの花には「ちんさぐぬ花や爪先に染みてぃ」と爪先に染めるという意味で使っている。まさか恋するの意味でも使っているとは信じられなかったし、使っていることに感動した。

島情話は伊江島ハンドゥー小（いえじまはんどーぐわー）「という歌劇の主人公ハンドゥー小(ぐわー)を歌っている。

沖縄本島の北にある辺土名に住んでいたハンドゥー小が遭難して浜に倒れていた加那を助ける。加那を世話している内に二人は恋仲になる。記憶喪失であった加那は記憶が戻り、伊江島に妻が居ることを思い出し伊江島に帰る。加那を頼って伊江島に渡ったハンドゥー小はそこで無碍に扱われ、失意のうちにタッチューと呼ばれる城山で自殺する。ハンドゥー小の怨念か幽霊になって加那の一族を滅ぼしてしまう。歌劇は真境名由康によって作られた有名な歌劇であるが、子供の頃に観たマチューにとって幽霊芝居というイメージが強かった。

　島情話の歌詞で驚いたのは一番だけでなく五、六の詞にも驚いた。

五　白玉ぬ露とぅ　散り果てぃる心　城山登れ　涙びけい

　白玉は露の掛詞で古典の和歌などによく出てくる。「散り果てぃる心」は琉球民謡にはない表現であり詩的である。

六　戻る道ねらん　肝ん肝ならん　慣りん他所島ぬ土がなゆら

　「ねらん」と「ならん」は「らん」が同じで、「ならん」と「慣(な)りん」は「な」が同じである。「ら行」と「ん」を組み合わせている詞である。リズムや響きなどで表現を高める和歌の手法を使っているのが島情話である。詞というより詩である。島情話が好きになったマチューは４０代の頃はスナックでよく歌った。今はスナックには行かなくなったし、行ってもカラオケで歌う気が薄れている。

　島情話を聞いて、マチューの心が浮かれてきた。何杯もあわもりを飲んだので脳が浮かれてきたのだ。

「なっちゃんの島情話最高」

マチューは拍手した。

「ありがとう。うれしいわ」

「島情話は最高だね」

「マチューさん。島袋さん。北谷(ちゃたん)の人よ」

島情話を作詞作曲したのが北谷出身の松田弘一である。

「へえ、そうなんだ」

島袋はぺこりとお辞儀した。

「島情話は最高だ。民謡で一番好きだ。曲作ったのが北谷出身の松田弘一だよな」

「はい。でも亡くなりましたよね」

マチューーは松田弘一の死を知らなかった。

「ほんとか。信じられん。まだ、７２歳だろ。どんな病気で死んだんだ。ガンか脳梗塞か」

「さあ、死因は知らない。死んだと聞いただけで」

「そうか。仲の町のなんた浜を知っているか」

「一応は。昔飲んだことがある」

「島情話は松田紘一がなんた浜で歌っていた時に作ったらしい」

「へえ、すごいこと知っているわね」

「なんた浜のバーテンが言ったから間違いない。なっちゃんはなんた浜を知っているか」

「知らない」

仲の町になんた浜という古い民謡クラブがある。マチューは昔は沖縄市に住んでいる友人と仲の町で時々飲んだ。たまにはなんた浜に行った。

なんた浜は饒辺愛子という民謡歌手が経営している民謡クラブである。饒辺愛子の歌は肝がなさ節である。マチューはこの民謡も好きだった。

「なっちゃん。肝がなさ節を歌って」

いつの間にか七杯目になっていた。酔いは気付かない内にやってくる。酔えば陽気になる。マチューは初対面の島袋に遠慮なく話し、なっちゃんと話し楽しい時間を過ごした。酒の量は九杯十杯と増えていった。

ドアが開き二人の男が入って来た。島袋は男たちに「よ」と手を上げた。一人はマチューの側に座った。マチューは島袋と遮断された。三人の会話が展開し、当然のことであるがマチューは蚊帳の外に置かれた。マチューは帰ることにした。

マチューが入り口近くの椅子に座るのは出ていきやすくするためだ。風酔の客に知り合いは居ない。ほとんどの客は4、50代の人間でマチューのような70代の客は居ない。客が増え、話が盛り上がれば盛り上がるほどにマチューはこの空間から取り残されていることを感じる。年老いた人間の孤独を感じる。外に出て一人になったほうが孤独を感じない。

なっちゃんに飲み代を払い三線ケースを右肩に担ぎ、ビニール袋を左手で持つとドアを開けて外に出た。冷たい強風がマチューを襲った。しかし、マチューは強風とは感じないし寒さも感じなかった。かなり酔っぱらったマチューだった。風酔から出るまでは記憶があるが、風酔から出てからの行動はマチューの記憶から消えている。

マチューは階段を下りて港町通りのゆるやかな坂を下っていった。体はよろよろしながら進んだ。突風が襲ってくると後ろに下がったが足を踏ん張り倒れるのを防いだ。国道58号線に出た。58号線は南北線であり、北風を真正面から受けながら歩かなければならなかった。冷たい北風で体は冷えていったが酔っているマチューは寒く感じなかった。突風がひっきりなし襲い、前に進みにくくなった。とにもかくにも本能だけがマチューを家に向かわせた。

「くそ」

マチューは前進を邪魔する寒風に腹が立ってきた。

「やい、嵐。俺の行く手を阻むあくどい嵐よ。どきやがれ」

マチューは買い物袋を持っている左腕を振り回した。風はマチューの叫びを嘲るように吹いてくる。

「俺を倒せるものなら倒してみろ。やい嵐。もっと強く老け。俺を吹っ飛ばせ」

マチューは足を踏ん張り、一歩一歩進んだ。赤橋に来た。風はますます強くなった。アーチの柱に風がぶつかり音を発する。マチューにはマチューを呪っている声に聞こえた。

「ふん。呪わば呪え。俺を呪え呪え。呪いなんかへでもない。ふん。呪い返してやる」

赤橋は風が強く。腰を低くして体をすぼめてやっと進める状態である。「呪い返してやる」とぶつぶつ言いながら赤橋を進んだ。

赤橋を渡った。マチューは赤橋を振り返った。

「どうだ赤橋。お前を渡り切ったぞ。お前は俺を打ち倒すことはできなかった。お前は無力だ。ざまあみろ」

マチューは家に向かって歩き始めた。

体はへとへとになりまっすぐに進めない状態になっていたが泥酔しているマチューには自覚はなかった。悪魔のような嵐と闘い。嵐を跳ね返している強い意志で歩き続けた。

「まだまだだ。俺は負けていない。まだまだだ。突き進むぞ。やい嵐よ。俺は突き進むぞ。お前に俺を止めることなんかできやしない。ふんだ」

マチューはよたよたと歩き続けた。緩やかな坂を上り、車道を横切り、古堅南小学校にたどり着いた。

泥酔し、強風に喚きながら歩くマチュー。行く当てもなく歩いているように見えるが我が家に向かって歩いていた。古堅南小学校を過ぎ、歩道からはみ出して車道をよたよたと歩いては歩道に戻る。それを繰り返しながら家の光が見える所まで来た。家の外灯が見えるとマチューは静かになった。嵐との闘いは済んだ。

玄関のドアを開けようとした時、突風が襲ってきた。家に帰って来た安堵で心が緩んでいた時に突風に襲われたマチューは倒れた。無意識に右肩に担いでいる三線を守るために左側を地面打ち付けた。暫くの間起き上がることができなかった。

ゆっくりと起き上がるマチューには声を出す気力はなかった。ドアを開けて家に入った。

体がガタガタ震えているのを感じて目が覚めた。布団は体の下にある。布団の上のマチューの体の震えは止まらなかった。とても寒い。布団を被らなければと思ったが、とても気分が悪くて起き上がることができない。横になったままなんとか布団をかぶることができた。寒さが少し和らいだから眠りに入った。

朝11時頃に目が覚めた。風酔から出た時からの記憶がない。どのようにして家に帰ったのか。まるで記憶がない。マチューが心配したのは三線を持ってきたかどうかだった。風酔に忘れてきたのなら安心だが、帰る途中で落としていたら大変だ。マチューはふらふらしながら広間に行った。

三線ケースはあった。壁に立ててあった。マチューはほっとした。サンエーで買い物をしたことを思い出した。買い物袋を探した。広間を見回したが買い物袋は見当たらなかった。家に帰る途中で落としたのか。三線を持ってきたのだから買い物袋も持っていたはずだ。しかし、買い物袋がない。風酔に忘れたのだろうか。忘れていたら今日取りにいかなければ。刺身が腐ってしまう。買い物袋は風酔に忘れたのかそれとも帰る途中で落としたのか。

風酔を出た時からの記憶がない。記憶がないほどに酔っていたのだから買い物袋を落とした可能性は高い。三線があるだけでもよかった。安心したマチューは部屋に戻り、再び眠った。

夕方目が覚めた。気分が悪い。起き上がる気にならない。マチューは起きなかった。布団の中で翌日の朝まで過ごした。朝になり、昨日は糖尿と高血圧の薬を飲んでいないことに気が付いた。

・・・薬を飲まなければ・・・

薬を飲む前に食事をするように医者に言われている。起き上がり冷蔵庫に向かった。冷蔵庫からお汁とおかずの入ったパックを取り出し、鍋に入れ温めた。温まるまでネットを見ようとパソコンの方に行こうとした時に咳をした。咳をした瞬間に左の脇腹に激痛が走った。予想外の痛みに驚いた。若い頃に同じ痛みを体験したことがある。その時は肋骨を骨折していた。同じ痛みだから肋骨を骨折したのだろう。なぜ肋骨を骨折したのだ。理由が不明だ。もしかすると風酔から家に帰る途中で転んで脇腹を打ったのだろうか。そうに違いない。しかし、こんなに痛いのだから体を強く地面に叩きつけたはずだ。もしかすると三線ケースを放り出したかもしれない。三線が気になった。倒れた時に三線が破損したかもしれない。マチューは三線ケースを開いて三線を取り出し調べた。三線は折れていないし、傷もついていない。無事だった。倒れた瞬間に三線を守ろうと三線を担いでいる右側を庇い、左の体を地面に打ち付けたのだろうか。マチューには倒れた記憶はなかった。再び咳をした。激痛が脇腹に走った。

パソコンのスイッチを入れ、モニターが付いた時に、昨日から新聞を読んでいないことに気が付いた。新聞を取るために玄関のドアを開けた。すると地面に買い物袋があった。買い物袋は玄関前で落としたのだ。すると転んだのは玄関前ということか。玄関前で転んでなぜ脇腹に激痛が走るほどの怪我をしたのだろうか。不思議な気がしたマチューであった。

買い物袋を取ると家に入り、牛乳、マグロの刺身、ゆし豆腐を冷蔵庫に入れた。暑い夏なら刺身は傷んだだろうが、寒い冬だ傷んでいないだろう。

病院には行かなかった。病院に行ったからといって骨折が治るものではない。腕などの骨折ならギブスを巻いてもらうが肋骨はギブスをしない。腹帯を巻くくらいであり治療はしない。糖尿や高血圧は病院の薬が必要だが、肋骨の骨折は自然治癒に任せればいいと考えるマチューだから病院に行く気はなかった。

脇腹の激痛は一週間続いた。二週目に入って痛みが少しずつ弱まっていき、三週目になると指で軽くつついたくらいの痛みになった。

体を温めるために二、三杯くらい飲むつもりでスナック風酔に行ったのに、泥酔するまで飲んで、脇腹の骨を骨折してしまった。７０歳を越した老人がである。失態である。しかし、老人になってこんな失態をしたことにマチューは幸せを感じる。幸せな時代になったなと感じる。

息子や娘なら「老人としての分別もない」と軽蔑するだろう。そして「恥ずかしいから二度とスナックで酒を飲まないで。自分の年齢をちゃんと考えて」と言うだろう。幸いなことに二人とも結婚をして一緒に住んでいない。黙っていれば二人にばれることはない。叱られることもない。弟に話すのも止めよう。弟は笑うだけであるが、必ずマチューの息子と娘に話すだろう。弟に話して一緒に笑いたいがそういうわけにはいかない。弟に話せない。

マチューが子供の頃はスナックというものはなかった。あったのは料亭とバーであった。料亭は踊りをやり料理を出す飲み屋であり、料金が高かった。金持ちが通うのが料亭だった。料亭に通いすぎて破産したという噂もあった。家で毎晩あわもりを飲んでいた父であったが一度も料亭に行ったことはなかっただろう。バーに行ったこともなかったと思う。

桜坂のバーは有名であったが料金が高く若者が行ける店ではなかった。バーの次に登場したのがスナックだった。素人の女性が作った店で料金が安いので若者はスナックに行った。スナックは若者が行くところで大人はバーに行くのが慣わしだったが、次第にスナックが増えバーは減っていった。

マチューはスナックと同時代を生きてきたようなものだ。港町通りのスナック街もマチューの青年時代に栄えた。港町のスナックとはもう５０年近くの付き合いだ。あの頃のスナックには，５、６０歳代の客は居なかった。５０歳代の客をたまに見ることはあったが７０歳代の老人に会ったことは一度もなかった。だから、７０歳の老人になればスナックに行けないと思っていた。しかし現在は、７０歳を超えたマチューがスナックに行けるのである。昼から開けている老女がやっているスナックには８０歳代の老人が来る。

・・・７０歳の老人になってもスナックで泥酔できる・・・

・・・８０歳になっても行けるスナックはすでにある。９０歳以上になってもスナックには行ける。死ぬ寸前までスナックに行けるということだ・・・

・・・なんていい時代になったんだ・・・

咳のたびに激痛が走ったが、これもいい時代の象徴なのだと変な理屈をつけてほほ笑むマチューであった。

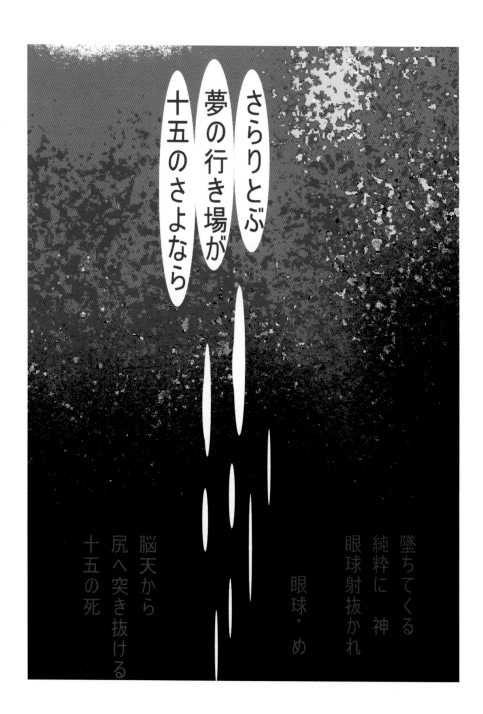

さらりとぶ
夢の行き場が
十五のさよなら

墜ちてくる
純粋に 神
眼球射抜かれ
眼球・め

脳天から
尻へ突き抜ける
十五の死

黒いフランケン5

海岸線を四十分走り、名護市に入った。じょうさんの家は名護市から山中に入り、曲がりくねった道路を二十分程走った山の中腹にあった。一帯はみかん畑が広がり、西の方には青い海原が見えた。じょうさんの家の前で車を停め、ぶんさんと啓四郎はじょうさんの家の庭に入って行った。家は十五坪の木製の粗末な家で戸は開け放たれて家の中は丸見えだった。「ごめんください。」と言いながら家の軒下に来て家の中を覗いたが、家の中からは返事がなく人の姿も見えなかった。啓四郎とぶんさんはみかん畑のある裏山に行った。山道は細く、急傾斜になっていて足腰が弱っているぶんさんは何度も転びそうになった。みかん畑には草刈りをしている痩せて黒く日に焼けた老人が居た。ぶんさんの父親である。

「隆盛は居ないですか。」

ぶんさんが聞くと老人は訝るようにぶんさんを見ていたが、ぶんさんの顔を思い出したようで微笑んだ。

「やあ、確かあんたは息子の友だちでしたな。」

「隆盛は居ますか、」

ぶんさんはじょうさんのことを聞くとじょうさんの父親は顔を曇らせた。

「居ないよ。」

父親の意外な返答に啓四郎とぶんさんは顔を見合わせた。

「隆盛は実家に行くと言っていましたが、家に来なかったのですか。」

「来たよ。しかし、三日で居なくなった。」

じょうさんの父親は溜息をついた。

「わしの預金から三十万を抜き出してな。家から居なくなった。心を入れ替えて、みかん畑でわしと一緒に働くと言ってわしを喜ばせておきながら……。あいつは駄目な男じゃや。」

そう言うとじょうさんの父親は啓四郎たちから離れてみかん畑の中へ入って行った。

「じょうさんはどこへ行ったのだろう。コザに戻っていれば私に連絡してくるはずだ。連絡がないということはコザに戻ってはいないということだ。もしかして本土に行ったのかな。」

「そうに違いない。じょうさんは沖縄に居ることが恐くなって本土に逃げたのだろう。」

「沖縄は狭いから。逃げ場がない。啓さんも沖縄から離れた方がいい。」

ぶんさんの話に啓四郎は頷いた。頷いたがぶんさんのように本土に逃げることに迷いがあった。こんな不況時代では本土に行っても仕事が見つかるかどうか不安である。ぶんさんはホームレス生活でもいいと考えているが啓四郎はホームレスになるのは嫌だった。


翌朝、啓四郎は那覇空港までぶんさんを連れていった。ぶんさんに五万円を渡すと、ぶんさんは何度もお辞儀をしてターミナルに入って行った。


啓四郎は仲里の居る駄菓子屋に行き、ぶんさんのことを話した。

「僕は妻子への仕送りがあるのでお金を稼がないといけない。ここを離れるわけにはいかない。」

仲里はシャーベットの準備の手を休ませずに言った。

「長男は大学に行っているし長女は高校二年生だ。学費が掛かる。母親が九州に行ってもいいというなら土地やアパートを売ってさっさと九州に引っ越すが、母は絶対に九州には行かないと言い張っている。入院しているのだから沖縄の病院と九州の病院に大した違いはないのだから九州の病院でもいいじゃないかと説得しても承知してくれない。住む所はどこでも同じだと僕は考えるが、古い人間はそうではないらしい。困ったもんだよ。」

と笑いながら言った。仲里の母親は一年近く入院している。

「捕まらないようにしながらなんとかやっていくしかない。お前も本土に引越しをする積もりか。」

仲里は冷蔵庫を開け、ファンタグレープの缶を取り出して啓四郎に渡してから、シャーベット用に冷やしてある水道水の入ったボトルを取り出しながら啓四郎はどうするのかを聞いた。

「迷っている。本土で生活できればいいが。不況な時代だから仕事を見つけるのが難しい。年も年だしね。浮浪者になってまで生き延びようという気持ちにはなれない。それになぜ俺たちの命が狙われるのが府に落ちないし納得できない。黒い大男を見ただけで殺すというのは変だよ。」

「変だけど。国家から見れば僕達は虫けらみたいなものだし、黒い大男の噂が広がらないためには虫けらは軽く始末するということじゃないのか。」

仲里はボトルから水を飲みながら他人事のように言った。

「おいおい。そんなことを言っていいのか。お前も殺される対象に入っているのかも知れないのだぞ。お前が殺されたら奥さんへの仕送り途絶えてしまう。娘さんは大学にいけなくなる。」

「それは大丈夫。僕が死ねば土地とアパートを売ればいい。五千万円くらいにはなる。僕が死ねば僕の奥さんは大金持ちになれるよ。」

と言って愉快そうに笑った。

「ていは殺されるのが怖くないのか。」

「そりゃあ怖いさ。」

にこにこしながら仲里は言った。

「俺はコザの密集地でアメリカ人が来ない場所に部屋を探すことにした。そんな場所なら見付からないだろう。これから空家を探すよ。」

啓四郎は仲里の駄菓子屋を出ると知り合いの不動産屋に行き、アパートを探した。今のアパートはロス・ハワードのグループに知られているかも知れないから住むわけにはいかない。一日も早くアパートを引っ越すことが必要である。不動産屋から数件の空いている部屋を聞き、隠れ家に最適であるかどうか確かめるために三件の部屋を回って見た。啓四郎はコザ市の北側に戦争直後に栄えた市場跡にある粗末な部屋を借りることにした。


引越しは仲里が手伝った。仲里は卸屋からお菓子などを仕入れるのに必要な軽貨物車を持っていた。引越しといっても啓四郎の荷物は少なかったので軽貨物車一台に啓四郎の荷物は全部乗った。引越しを終えると啓四郎と仲里は引っ越し祝いとしてビールを飲んだ。啓四郎は愚痴った。

「俺達が犯罪を犯したわけではないのに隠れなければならないのは理不尽だよ。」

「仕方がないさ。」

「いつまで隠れた生活をしなければならないのだろう。」

「ミスターN・Hが捕まるまでだろう。長くは掛からないと僕は思う。」

啓四郎と仲里は愚痴を肴にしてビールを飲み続けた。

「もう、ビールはないぞ。」

窓がパラパラと音を立てた。大粒の雨が窓のガラスを叩いている。

「近くに酒屋はあるのか。」

啓四郎は時計を見た。十時になっていた。

「あるにはあるが八十歳を過ぎた婆さんの店だから七時には閉まる。大通りにあるコンビニまで行かないと開いている店はないな。」

啓四郎は窓から外を覗いた。外は大雨だ。

「台風が台湾に接近しているのと前線が沖縄諸島にやって来ている性だろうな。」

大雨は止みそうにない。

「コンビニに行くまでにはずぶ濡れになるな。」

これからの長い夜。酒がなければ過ごすことができない。二人はずぶ濡れになるのを承知で酒を買いに外に出た。立ち並ぶ低い家の軒を伝わりながら路地を歩き、車が通る大通りに出た。旧市街地の夜は活気がなく、闇に包まれ、車も滅多に通らない。啓四郎と仲里が旧市場の軒下に立ち、雨を防ぐダンボールを見つけてダンボールを頭に乗せて雨の中に出ようとした時、空きのタクシーがやって来た。二人はタクシーを止めてタクシーに乗り込んだ。

「お客さん。どこまで行きますか。」

タクシーの運転手が聞くと、

「仲ノ町。」

と仲里は条件反射的に言った。啓四郎は驚いて仲里の顔を見た。仲里は上機嫌な顔をして、「仲ノ町」とタクシーに行ったこともまるで覚えていない様子だ。

「おい、仲里。仲ノ町はまずいだろう。」

啓四郎に言われても仲里は気付いていない。

「チャン・ミーやロイ・ハワードの仲間に見つかったらヤバイだろうが。」

啓四郎に言われて中里は我に帰った。

「あ、そうか。仲ノ町に行くのは拙いな。でも、」

と言って身を乗り出してタクシーのフロントガラスを見た。フロントガラスに大粒の雨が次から次へと当たり、ウインードーブレーカーが忙しく雨水をはじき出してもフロントガラスの視界は悪かった。

「今日は大雨だ。大丈夫だよ。」

啓四郎もフロントガラスを見た。雨はすごい土砂降りになっていて視界はゼロに近い。タクシーの運転手は身を乗り出して前方に目を凝らしタクシーを亀のようにゆっくりと走らせている。啓四郎も仲里の考えに同意したくなった。もう、一ヶ月近くスナックに行っていない。ストレスはかなり溜まっている。アルコールが体中に回っている啓四郎はチャン・ミーやロイ・ハワードの組織に捕まる恐怖よりスナックに行きたいという欲望の方が上まわっていた。アルコールは自由になりたい欲求や楽しい空間を欲する気持ちを高まらせ殺される恐怖でさえも吹き飛ばしてしまう。豪雨の夜はスナックの客は少ない。客が少なければ中年の男だってもてる。豪雨の向こうに酒を飲み女と楽しい時間を過ごせるスナックが手招きをしているように感じた。

「そうだな。この大雨なら俺たちを探し回らないだろう。仲ノ町に行くか。」

仲里は啓四郎の言葉に喜びの拍手をした。

「それによ、この大雨だ。他の客は来ていないだろう。今日なら僕達はもてるぞ。」

仲里の言葉に啓四郎の心も浮き浮きしてきた。

タクシーは仲ノ町の北のはずれにあるスナック童夢の入り口で停まった。タクシーのドアが開くと大きい雨粒が車内に入り込んできた、啓四郎と仲里はほんの一メートルの距離を勢いよく走り、童夢のドアを思い切り開くと勢いよく童夢の中に駆け込んだ。

「いらっしゃーい、仲里さん。」

「ひどい雨だ。」

にこにこ言いながら仲里はカウンターの席に座った。童夢のママはいそいそと乾いたタオルを持ってきて啓四郎と仲里に渡した。

「遠路はるばる大雨の中を童夢にいらっしてくれましてありがとうございます。どうもご苦労様でした。」

仲里が言った通り客は一人も居なかった。

「啓四郎。今日は我が天下だ。思いっきり飲もう。」

と仲里が言うと、

「あーら、仲里さんはいつも思いっきり飲んでいますことよ。」

とママは皮肉を言った。

「そうかな。」

と仲里は頭を掻きながら照れくさそうに笑った。

「ヒロミちゃん。歌を歌って。」

仲里は自分の失言を誤魔化すように小銭入れから百円玉を十枚ほど出すとカウンターの小皿に置いた。

「まだ早いわ。私は酔っ払わないと歌えないもの。」

とヒロミは仲里に注文を聞かないでさっさとあわもりの５００ｍｌボトルをカウンターに出し、四つのコップにあわもりを注いだ。酒は進み、ママとヒロミに啓四郎と仲里の四人、啓四郎と仲里にとって最高の宴であった。

啓四郎は酔っ払ってくるとどうしても行きたくなるおでん屋があった。若い頃は仲ノ町小町と呼ばれたほどの美人の啓子が母親と二人でやっているおでん屋だ。啓四郎はこっそりと携帯電話を取り出しおでん屋ゆきのに電話した。

「もしもし、ゆきのですか。」

その時ヒロミがカラオケを歌い出した。啓四郎はカラオケの音が大きいために電話の声が聞きづらいので外に出た。相変わらず大雨だ。啓四郎は雨を避け、ドアに身を寄せながら電話をした。

「もしもし、啓四郎だが。」

「あら啓さん久しぶり。どこに居るの。」

「童夢に居る。今から行きたいがいいかな。」

啓四郎は仲里と飲む時は途中で抜け出して一時間はおでん屋に行く癖がついていた。最初の頃は仲里も誘っておでん屋ゆきのに連れて行ったが、仲里は酒を飲む時はおでんを食べる気になれないので行かなくなった。啓四郎もおでんが食べたくておでん屋ゆきのに行くのではない。美人の啓子の顔を見、会話するのが目的である。啓四郎は電話を切り、おでん屋ゆきのに行ってくることを童夢のママに断わってから外にでようとした時、黒い雨ガッパを着た二人の人間が目の前を横切って行った。走る音に何気なく二人の人間を見て啓四郎は肝を潰した。なんと二人のうちの一人はチャン・ミーだった。啓四郎は無意識に身を隠して二人を目で追った。チャン・ミーと男は五十メートル先の十字路まで行くと暫く立ち止まり、右手の方に走り去った。大雨なのにチャン・ミーとその仲間は仲ノ町にいた。ひょっとしてミスターN・Hが仲ノ町に現れたのだろうか。啓四郎はスナックの中に戻り、ヒロミの歌に酔いしれている仲里の腕を掴んで強引にスナックの隅に連れて行って急いで啓四郎のアパートに帰ろうと説得した。しかし、すっかり酔って悦楽状態の仲里は渋った。

「チャン・ミーを見たんだ。ひょっとするとチャン・ミーの仲間が仲ノ町を歩き回っている可能性がある。」

チャン・ミーを見掛けたことを話しても仲里は動じなかった。

「チャン・ミーなんかほっとけよ。ボクはチャン・ミーなんか知らない。なあ、啓四郎。僕の人生の最上の喜びはダーイ好きな女性と一緒に酒を飲むことだ。ヒロミちゃんと酒を飲んでヒロミちゃんと話をしてヒロミちゃんの歌を聞く。これが僕の最高の喜び。なあ分かるだろう。今、最高に幸せなのだ。チャン・ミーだかチン・ミーだか知らないが僕の幸せを奪う権利はない。啓四郎。酒を飲もう。人生を楽しもう。」

仲里が特別にヒロミが好きであるわけではない。たまたまヒロミが相手になっているだけであり、ヒロミではなく別の女性が仲里の相手をしていたらその女性を好きであると言っただろう。啓四郎は仲里の肩を揺さぶった。

「仲里。酔いを覚ませ。いいか、仲ノ町にはチャン・ミーと彼女の仲間が歩き回っているんだ。仲ノ町に居るとチャン・ミーの仲間に見つかってしまうかも知れない。早く、仲ノ町から離れなくてはならない。」

アルコールが体中を駆け巡っている仲里は気が大きくなり、チャン・ミーへの恐怖が無くなっていた。

啓四郎に肩を揺さぶられても正気に戻りそうにはなかった。強引に連れて帰るしかないと啓四郎は思った。

「ママ、タクシーを呼んでくれ。」

「え、もう帰るの啓さん。」

「ああ、ちょっと事情があってな。」

タクシーを呼ぶことに仲里が猛反対した。受話器を掴んでいるママの所に走ってきて、受話器を奪って元に戻した。

「タクシーは呼ぶな。さあ、飲もう。ヒロミちゃん歌を歌って。」

仲里はカウンター戻り、ヒロミと乾杯をした。啓四郎は仲里の側に座り仲里を説得した。

「仲里。帰ろう。なあ、帰ろう。」

仲里は啓四郎の声が聞こえない振りをして、ヒロミやママと喋った。

「ママ、啓四郎に酒を注いでよ。酒が足りないから分けの分からないことを言うのだ。僕はコザで生まれコザで育った。コザは僕達のテリトリーだよ。なぜ自分の土地でびくびくして生きなくてはならないんだ。あいつらがのさばっていることが間違っている。そうだよなママ。啓四郎、僕はきっぱりとあいつらに言ってやる。ここは僕達の場所だ。僕達はこの地で自由に生きる権利がある。お前達はさっさとここから出て行けとな。僕は正しいことを言っているよなママ。」

仲里の気持ちはますます大きくなり、意地でも仲ノ町で酒を飲み続けようとしていた。ママは分けの分からない仲里の言葉に首を傾げた。首をかしげながら、

「そうですよね。今夜はおおいに飲みましょう。」

と言い、微笑しながら仲里と乾杯をした。乾杯をし

酒を飲み干した後、

「今日の仲里さんと啓さんは変よ。なにかあったの。」

啓四郎がママに話す前に仲里が、

「何も無い何も無い。そうだよな啓四郎。さあ飲もう。今日はママとヒロミがずっと僕達の相手をしてくれる。最高の夜だ。今日は朝まで飲もう。」

仲里の粋のいい声に調子者のヒロミも「飲もう飲もう。」とはしゃいだ。啓四郎は外の様子が気になったが、仲里はてこでも動きそうにない。啓四郎は仕方なく仲里の側に座った。チャン・ミーは啓四郎に気付かなかっただろう。スナックの中に居ればチャン・ミーのグループに見つかることもないだろうと啓四郎は考え直し、暫くはスナックに残ることにした。


しかし、啓四郎の推理は甘かった。チャン・ミーは啓四郎の存在に気付いていた。啓四郎の顔は見ていないが、啓四郎が童夢の入り口に居る姿はチャン・ミーの視覚の残像に残っていた。チャン・ミーの第六感は一瞬視界に入ったスナックのドアの前に立っていた影の男が啓四郎かも知れないと思った。ミスターN・Hがコザに現れたという情報がチャン・ミーの組織に入り、チャン・ミーの組織はコザ一帯に分散してミスターN・Hを探し回っていた。ミスターN・Hの情報はロイ・ハワードの組織にも入り、ロイ・ハワードの組織もコザ一帯で活動していたからチャン・ミーの組織とロイ・ハワードの組織の小競り合いも勃発していた。大雨の夜は啓四郎と仲里にとって仲ノ町は最も危険な場所になっていた。

チャン・ミーはミスターN・Hの姿を見たという仲間の連絡で仲ノ町の中央通りにやってきた。しかし、ミスターN・Hと思っていたのは背の高い黒人兵の酔っ払いであった。酔っ払いの黒人兵が大雨の中をふらふらとカデナ空軍基地の第三ゲートに向かって歩いているのだ。ミスターN・Hと思っていたのが背の高い黒人をであったと報告を受けたチャン・ミーは仲ノ町に入って来た時に目に入ったスナックのドアの前に立っていた男が気になり、男の正体を確かめることにした。チャン・ミーはスナック童夢に戻った。ドアに近づいてそうっと中を覗いた。スナックの中で啓四郎と仲里が酒を飲んでいることを確認するとボスに連絡し、ボスは仲ノ町一帯に散らばっている五人の仲間に童夢の回りに終結するように連絡をした。

ざーっと雨の振る音が入り口の方から聞えてきた。スナック童夢のドアが開いて外の大雨の音がスナックの中に入って来たのだ。ママは雨音に条件反射をして、

「いらっしゃいませ。」

と言いながら入り口の方を見た。ママの言葉に釣られて啓四郎と仲里とヒロミもスナックの入り口を振り向いた。

「いらっしゃいませー。」

ヒロミが元気な声で新しい客を迎えた。ママとヒロミは新しい客に思わず「きれい。」と呟き、羨望の眼差しをした。啓四郎は新しい客を見て一瞬にして体が凍りついた。ところが仲里は新しい客を見てもにこにこしている。

「女の客でもよろしいかしら。」

鮮やかなチャイナドレスのチェン・ミーは美しく、チャン・ミーの正体を知っていなければ啓四郎も浮き浮きしていた筈である。チャン・ミーはスナックの中に入ると座る場所に戸惑った振りをした。

「私、どこに座ったらいいかしら。」

するとすっかり酔っている仲里が椅子を移動して、啓四郎と仲里の間の席を空け、

「どうぞどうぞ。こっちに座って。」

と、あろうことかチャン・ミーを手招きしたのだ。啓四郎は驚いて仲里を見た。酔っている仲里はチャン・ミーを恐れるどころかチャン・ミーの美しさに見とれてすっかり心を奪われている。チャン・ミーは「私がその席に座ってもよろしいのかしら。」としおらしく言いながら、啓四郎に軽く会釈した。チャン・ミーは啓四郎と初対面であるような表情をして遠慮ぎみに啓四郎と仲里の間に座った。啓四郎が素面であったら体を強張らせてチャン・ミーへの恐怖心を態度に出していただろうが、啓四郎もかなり酒を飲んでいて素面の時のような緊張をすることはできなかった。頭の中ではチャン・ミーを恐れ、チャン・ミーの仲間に連れ去られるかも知れないという危機感がありながら、アルコールは緊張感や危機感を和らげ、チャン・ミーを張り倒してでも直ぐに逃げようとする決心を鈍らせた。チャン・ミーから魅惑的な香りが発散していた。清純なレモンの香りがし、レモンの香りは真っ赤で妖艶な薔薇の花弁をイメージさせる香りを内包していた。

「この店に来るのは初めてですよね。」

ママは大雨の突然の訪問者を訝りながら聞いた。

「はい、初めてです。突然お邪魔して済みません。」

「日本人ではありませんよね。お名前は。」

チャン・ミーは名前を聞かれて困ったように仲里と啓四郎を見た。「チャン・ミーと言うよ、ママ。」

仲里が自慢するように言った。チャン・ミーは仲里が自分の名前を知っていることに驚いた振りをした。

「まあ、私の名前を知っていたのですか。光栄です。あなたのお名前はなんというのですか。」

「僕の名前は仲里です。こいつは啓四郎と言います。チャン・ミーさん。僕達の酒を飲んで下さい。」

「いいえ、それは余りにもあつかましいことですわ。私もお酒を注文します。」

「いえいえ、遠慮しないで飲んで下さい。ママ、グラスを出して。」

仲里は強引にチャン・ミーに自分達の酒を飲ました。十分程経った時、チャン・ミーの携帯電話が鳴った。電話は短く、チャン・ミーは「分かりました。」と返事をして携帯電話を納めた。

「すみません。私は失礼します。友達が待っています。」

と言って席を離れながら、

「仲里さんと啓四郎さんも私と来ませんか。ほんの一時間でいいです。私の友達のスナックに行きませんか。若くて美人の子が一杯いますよ。」

啓四郎はチャン・ミーの狙いを知っている。仲里と啓四郎を外に連れ出すのがチャン・ミーの目的であるのははっきりとしている。外にはチャン・ミーの仲間が待機しているだろう。外に出てしまえば捕まってしまう。一巻の終わりだ。啓四郎が断ろうとしたら、仲里がはしゃいで直ぐに、「行く行く。」と言い出した。啓四郎は仲里の言葉に仰天した。チャン・ミーの清純と妖艶が融合した美しさと香りに仲里は魅了され、チャン・ミーが仲里と啓四郎にとって危険な人間であることを忘れてしまったのだろうか。仲里はうきうきしながら席を離れてチャン・ミーの後ろについて行った。啓四郎は仲里を呼びチャン・ミーに付いて行くのを思い止まらせようとした。仲里は逆に「来いよ。」と手招きをした。チャン・ミーはドアの前に立って啓四郎と仲里が来るのを待っている。啓四郎を誘っている仲里を引き止めようと啓四郎は席を離れて仲里に接近した。仲里は啓四郎が前進しただけ後ろ向きに移動してチャン・ミーの方に近づいた。次第に仲里がドアの方に近づき、啓四郎と仲里を見守っていたチャン・ミーがドアから出ようとした瞬間に仲里は予想外の行動をした。チャン・ミーを外に突き飛ばしてドアを閉め、鍵を掛けた。ふらつきながら啓四郎の所にやって来ると真顔になって、「早く早く。」と啓四郎を手招きしながらスナックの奥に移動した。仲里の異常な行動に驚いたママが「どうしたの仲里さん。」と言ったが、仲里はママの声を無視してスナックの奥のキッチンに入っていった。キッチンには裏口があり、仲里は裏口を開けると啓四郎を手招きして外に出た。ガラスが叩き割られる音がしてママとヒロミの悲鳴が聞えた。裏口には隣のビルとわずか五十センチ幅の路地があった。裏口から出るとビルの屋上から雨水が滝のように落ちてきて一瞬の内に啓四郎と仲里はずぶ濡れになった。ビルの落水に叩き潰されそうになりながら啓四郎と仲里はビルの裏道を走って逃げた。二階建てや三階建てや四階建てや五階建てのビルが混在している仲ノ町の裏道は人間が一人しか通れない迷路になっている。啓四郎と仲里はビルとビルの間の裏道を滝のような雨水に打たれながら走り続けた。右に曲がり左に曲がり、ブロック塀を乗り越え、五、六分走ると通りに出た。二人は身を潜めながら通りの様子を見た。人影が見当たらないのを確かめると大通りを横切って反対側の路地に潜り込んだ。大通りを渡りきった時に背後で声が聞えた。どうやらチャン・ミーの仲間に見つかったようだ。啓四郎と仲里は迷路のような路地を走り回り、通りを横切り再び路地に潜り込む行動を繰り返した。仲ノ町を北に下り、西に逃げ、再び北に下り仲ノ町の北外れまで逃げた。

「どうする。ゲート通りを越えて一番街に逃げようか。」

啓四郎の提案に仲里は首を横に振った。

「あそこはアーケード通りになっていて隠れる場所がない。僕について来て。」

コザで生まれてコザで育った仲里はコザの表通りも裏通りも熟知していた。仲里は暗い裏道に入ると一軒家の屋敷に入り、庭を横切って塀を越えた。路地を暫く移動して二つの塀を越えて古いコンクリート建ての裏側に入った。

「ここに通じる路地はない。ここはどこからも入って来れないエアーポケットのようになっている場所だ。ここで暫く休もう。」

啓四郎と仲里は古いビルの軒下に身を潜めた。

「仲里。お前がチャン・ミーと一緒に出て行こうとした時は肝を冷やした。」

「へへ、チャン・ミーは美人だったなあ。」

仲里は照れ笑いをした。

「本気でチャン・ミーについて行く気だったのか。」

「そんなわけはない。チャン・ミーが入って来た瞬間から、どうすれば逃げれるかを考えていた。酔っ払っていてもチャン・ミーの仲間に捕まったら命が危ないということは分かっているよ。」

啓四郎と仲里は逃げる相談した。一番安全な逃げ場所は十字路の東側にある警察署である。啓四郎と仲里は雨宿りを理由にして警察署に逃げ込むことにした。塀を越えて暗い路地に降りて背を屈めて移動した。路地から裏通りに出て、仲ノ町の中央通りを横切ると再び路地に入り、行き止まりの塀を乗り越えたりしながら国道に出た。大雨の深夜。行き交う車はまばらだった。啓四郎と仲里は国道に出ると国道を一気に横切り、警察署を目指して走った。十字路を右に曲がり、警察署の灯が見えた場所に来た時、前方に人影が見えた。啓四郎と仲里は立ち止まり、人影の正体を確かめながらゆっくりと進んだ。すると人影は仲里と啓四郎に向かって走って来た。人影は二人だ。仲里と啓四郎は走って来る人影の正体を確かめることはできなかったが走って近づいて来るので、条件反射的に後ずさりした。啓四郎と仲里は走って来る人影は警察署の前で待ち伏せしていたチャン・ミーの仲間であるに違いないと思い、十字路の方に逃げた。人影はどんどん近づいて来る。啓四郎と仲里は十字路を越えてゲートに向かって逃げた。十字路から百メートル逃げた所で啓四郎が捕まった。背中を捕まれ危うく倒されそうになりながら啓四郎は街路樹のヤシの木を掴んで倒されるのを免れた。啓四郎はヤシの木を盾にして男の攻撃を免れていたが啓四郎より俊敏な動きをする男からいつまでも逃れることはできそうにもない。仲里は啓四郎に構わずに逃げた。もう一人の男は仲里を追って行った。

　啓四郎は身構えながら後ずさりして車道に出た。啓四郎が身構えたので男は闇雲に飛び掛ることはしないで啓四郎との間を詰めてきた。男が間を詰めると啓四郎は後ずさりして間を離した。車道で啓四郎と男は対峙した。その時雨の中をヘッドライトの明かりが近づいてきた。ヘッドライトの明かりは啓四郎と男が対峙している場所にスピードを落とさずに突っ込んできたので啓四郎は危うく轢かれそうになった。啓四郎は突っ込んできた車を避けて尻餅をついた。車は啓四郎と対峙していた男に向かって進み男はよけることができないで車に突き飛ばされた。車は急停車するとドアが開いてアメリカ人が出てきた。アメリカ人は拳銃を構えながら啓四郎を襲った男の方に近づいて行った。啓四郎を襲った男は車に撥ね飛ばされたが肉体が頑丈らしく、直ぐに起き上がり身構えた。アメリカ人が拳銃を撃つ前に横に飛び、回転すると起き上がり歩道のヤシの木に隠れた。啓四郎は思わぬ展開に驚き、呆然とアメリカ人と中国人の対決を見ていたが、我に返ると急いでその場から逃げた。としゃぶりで道路は水が溜まっている。水の抵抗を跳ね返しながら啓四郎は走った。車道を横切り、一目散に走り、一番街の裏側まで逃げると路地に入り路地からビルの裏の奥に隠れると仲里に電話した。

仲里は直ぐに電話に出た。

「もしもし。仲里。大丈夫か。」

「ああ、大丈夫だ。君は大丈夫か。」

「ああ。仲里はどこに入るのか。」

「僕は金城タバコ屋の軒下に隠れている。」

金城タバコ屋を啓四郎は知らなかった。

「金城タバコ屋はどこにあるのだ。」

「仲ノ町の西通りの一番北側の十字路から北に五十メートル離れた場所にある。お前はどこに隠れているのだ。」

「一番外の裏側に来ている。」

「一番外の裏側のどこに居るのか。」

啓四郎はビルの表に出た。ビルの一階はクムイという喫茶店になっていた。

「クムイという喫茶店があるビルに隠れている。」

「クムイだな。分かった。君の方に行く。」

仲里は啓四郎の隠れている場所に行くと言って電話を切った。啓四郎は喫茶店の裏側で仲里を待つことにした。雨は降り続き、濡れた服は啓四郎の体熱を奪って行く。夏の夜だから寒さを感じることはないが、じっと体を動かさないでいると悪寒がした。

十五分経過した時に啓四郎は身を伏せながら通りを覗いた。暫くすると雨の中にヘッドライトが見え、ばしゃばしゃと水を撥ねる音が聞えてきた。仲里の走っている姿が見え、啓四郎の前を仲里を走り過ぎていった。仲里に続いて車が通り過ぎた。啓四郎は建物の角に隠れながら車の行方を追った。車は五十メートル先の角を左に曲がって消えた。仲里はうまく逃げ切れるか心配になったが啓四郎の身も安全とは言えない。啓四郎はこの場所からどこに移動した方が安全か考えた。仲ノ町からできるだけ遠く離れた方が安全だろうと考えた。チャン・ミーの仲間と争っている時に車で突っ込んできたアメリカ人はロイ・ハワードの仲間だろう。チャン・ミーの仲間だけでなくロイ・ハワードのグループもコザ一帯を徘徊し続けているとしたら、どこが安全な場所か分からない。遠くへ逃げるより動き回らないで路地やビルの裏側に隠れて朝を待った方がいいかも知れない。啓四郎は安全な隠れ場所を探すことにした。啓四郎が路地から飛び出そうとした時、背後から声がした。振り返ると仲里が立っていた。

「大丈夫だったか。」

「なんとか逃げ切れた。」

と言う仲里は息も切れていないし余裕のある顔をしている。

「早く安全な場所へ逃げよう。」

「一番街を越えて市役所の下の方に逃げよう。あの一帯は車道が狭く住宅密集地になっている。」

啓四郎と仲里は歩道に出て、車も人影も見当たらないことを確かめると車道を横切って裏通りに入り一番街に向かった。一番街はアーケードに覆われた東西南北に五百メートルの広がりがある商店街で深夜でも外灯が点いていた。啓四郎と仲里は一番街に入ると東に向かって走った。ところが一番街の中央辺りまで走った時、仲里が急に足を止めて、十字路の左角に隠れて南に延びている歩道を覗いた。啓四郎は仲里が居ないことに気付き振り返った。仲里は手で啓四郎を仕切りに呼んでいた。

「あの男はお前を調査したというロバートというアメリカ人ではないのか。」

啓四郎は十字路の角から覗いた。アーケードの出口付近で痩せて背の高いアメリカ人が時計を見ながらそわそわしている。そのアメリカ人は仲里が指摘した通りロバートだった。

「お前の言った通り、あの男はロバートだ。」

「強そうにないな。お前と僕で捕まえることができそうだ。」

「え、ロバートを捕まえてどうする積もりだ。」

仲里は真面目な顔で、

「彼とミスターN・Hについて話し合いたい。ミスターN・Hについての僕の仮説がどれほどの論理的正当性があるか彼の意見を聞いてみたい。」

啓四郎は仲里の言葉が信じられなかった。啓四郎達はロバートの仲間に追われている立場にある。そんな時に敵側の人間と論争はないだろう。それに、仲里はミスターＮ・Ｈについて強い関心を示さなかった。それなのに命の危険にさらされている状況でロバートを捕まえてミスターＮ・Ｈについて論争しようとしている。啓四郎は仲里の心情が理解できなかった。

「ロバートとどんな話をしたいのだ。」

と啓四郎が呆れた顔で言ったが、中里は真面目な顔で、

「ミスターＮ・Ｈが無機質な物体なのかそれとも遺伝子を持つ有機質な生物なのかどうかが大きな問題だ。無機質な物体であるなら、ロボットということになるが、そうなると思考回路や神経回路、伸縮システムがどのような構造になっているか。僕は遺伝子を有した有機体だと思うんだ。その遺伝子のスイッチが自在に入れ直すことが出来、しかも短期間で遺伝子の命令で変形するのではないかと思う。ミスターＮ・Ｈは神経体と動力体の二つで構成されているのではないか。神経体は感覚と思考が未分離状態だと思う。そのためにミスターＮ・Ｈの思考はまだ発達していないと僕は想定しているのだ。」

啓四郎は仲里の話がまるっきり分からなかった。啓四郎にミスターＮ・Ｈについて仲里が本気で話さなかった理由がなんとなく理解した。仲里の専門的な話は啓四郎には理解できそうにないから仲里はミスターＮ・Ｈに対する真面目な話を啓四郎とはやる気がなかったのだ。

「ロバートにばれずに接近するのは難しいのじゃないかな。」

と啓四郎が言うと、

「大丈夫。任せて。」

と言って仲里は角から三番目の建物と四番目の建物の間の隙間に入った。人間が横ばいでぎりぎりに通れる隙間だが、その隙間を抜けると路地があり、仲里は路地に出ると新たな建物と建物の間の隙間に入りロバートの立っている場所に進んだ。ロバートが立っている場所の近くの路地に出ると啓四郎と仲里はロバートを路地に引きずり込んだ。ロバートは啓四郎を見て驚いた。

「オオ、あなたは啓四郎さん。あなたはアメリカに護送されたのではなかったのですか。ロイはあなたはアメリカに護送されたから私があなたから調書を

取ることができなくなったと言いました。」

啓四郎がロバートに話す前に仲里はミスターN・Hに対する自論をロバートに話した。

「ミスターN・Hは特殊な遺伝子で構成されていると思う。」

ロバートは仲里の話に戸惑った様子を見せた。啓四郎は仲里が日本の大学院に行った人間であることを伝え、仲里に仲里の専門分野をロバートに教えるように言った。仲里は大学で電気の超伝導と電気エネルギーの力エネルギー転換の研究をしていたことを説明し、ドクター・シュレッターの草稿を読んだことがあることを話した。

「そうですか。私は哺乳類動物の突然変異と遺伝子の関係を研究しています。」

「ロバートはドクター・シュレッターのことを知っているのか。」

「知りません。ドクター・シュレッターの論文を整理しているのですが私の専門外の論文が多く私には難解なものばかりです。」

仲里とロバートの討論は次第に熱を帯びていった。科学者同士の討論は啓四郎にはさっぱり理解できなかった。二人の討論を黙って聞いていた。チャン・ミーやロイ・ハワードの仲間に追われているという現実があるというのに、仲里はそのことをすっかり忘れていたし、ロバートはロイ・ハワードの組織の人間であり仲里と啓四郎を捕らえる組織の側の人間であるのに、ロバートもそのことはすっかり忘れ、ミスターN・Hの正体について二人の科学者は討論した。討論に熱が帯びるにつれて二人の科学者の声は次第に大きくなり、首を縦に振って同意したり横に振って反論をした。二人のいる裏通りは何時の間にか大学の研究室になっていた。

「ミスターN・Hの捕獲方法は考え出したのか。」

「正体が分かりませんから捕獲方法も思いつきません。しかし・・・・」

ロバートは苦笑しながら言った。

「ミスターN・Hが生命体であっても非生命体であっても動き回るにはエネルギーが必要です。エネルギーを使い果たしたら弱るはずです。私がロイに提案したのはミスターN・Hが生命体なら電気ショックを与えて動けなくすることとミスターN・Hを追い掛け回してエネルギーを消耗させて捕獲することです。とにかくミスターN・Hの正体が分からないのですから適切な捕獲方法は分かりません。」

「捕獲したら研究用にミスターN・Hを生かしておくのか。」

「それは分かりません。」

お互いの考えを出し合ったロバートと仲里の討論は小休止した。

「仲里さんは有機質と無機質の融合生命体を造りだすことは可能だと思いますか。」

「不可能だよ。有機質を構成しているのが無機質ではあるが有機質と無機質の存在理由は異なる。そもそも今の科学は無機質から新たな生命体を作り出せない。無機質を使って遺伝子を組み立てることができない限り本当の意味で生命体を造りだすことにはならないし、それは理論的には可能だが現代科学では不可能だ。」

と仲里が言うとロバートは、

「そうですか。」

と言った。啓四郎は別人のような仲里の顔をしげしげと見つめた。啓四郎の前では見せたことのない目つきがするどく淡々とした仲里の顔だ。学生の頃、毎夜演劇クラブ室で酒を飲みどんちゃん騒ぎをやり裸踊りさえした仲里が大学院に進学したのが不思議だったがロバートと討論している仲里を見ると納得することができた。仲里はクラブ室の酒の座では演劇や文学の論争はまるで駄目だった。酒を飲んでわーわー騒いでいたのが仲里だ。仲里の脳は完全に理科系であり文化系の才能はゼロなのだろう。しかし、これほどまでに極端な理科系人間は滅多に居ない。


「ロパート。」

と呼ぶ声が聞えた。

「どうやら私を迎えに来たようです。」

ロバートは立ち上がり啓四郎、仲里と握手した。

「今夜は会えてよかったです。二人が無事に逃げることを祈ります。」

ロバートは路地から出て行った。

啓四郎と仲里は一番街の大通りに戻り、急いで一番街を出ると国道３３９号線を横切った。どしゃぶりはまだ止まない。

つづく

２０２０年５月発行
沖縄　日本　アジア　世界　内なる民主主義２３
定価１２９５円(消費税抜き)
編集・発行者　又吉康隆
発行所　ヒジャイ出版
〒　９０４-０３１３
沖縄県中頭郡読谷村字大湾７７２ー３
電話　０９８ー９５６ー１３２０
印刷所　印刷通販プリントパック
ISBN978 - 4 - 905100 - 36 - 2
C0036

著作　又吉康隆
１９４８年４月２日生まれ。沖縄県読谷村出身。

沖縄に内なる民主主義はあるか
少女慰安婦像は韓国の恥である
翁長知事・県議会は撤回せよ謝罪せよ
あなたたち　沖縄をもてあそぶなよ
捻じ曲げられた辺野古の真実
違法行為を繰り返す沖縄革新に未来はあるか
マリーの館
一九七一Ｍの死
ジュゴンを食べた話
バーデスの五日間　上巻下巻
おっかあを殺したのは俺じゃねえ
台風十八号とミサイル

県内取次店
沖縄教販
ＴＥＬ　０９８-８６８-４１７０
ＦＡＸ　０９８-８６１-５４９９
本土取次店
(株)地方小出版流通センター
ＴＥＬ　０３-３２６０-０３５５
ＦＡＸ　０３-３２３５-６１８２
取次店はネット販売をしています。